D1289855

Collection folio junior

dirigée par
Jean-Olivier Héron
et Pierre Marchand

Titre original :
Star Strider

Luke Sharp

Le Chasseur des Etoiles

Défis Fantastiques

Traduit de l'anglais
par Arnaud Dupin de Beyssat

Illustrations de Cary Mayes

Gallimard

Sommaire

Votre Mission

Traqueur : *désigne tout individu chargé de retrouver et d'arrêter fugitifs, criminels ou personnes recherchées dont la tête est mise à prix. Appelés autrefois Chasseurs de Prime, ils sont aujourd'hui regroupés au sein de l'Organisation des Traqueurs Associés. Les Traqueurs d'élite sont également appelés Chasseurs des Etoiles.*

Encyclopedia Galactica

Urgent Confidentiel...

Les Gromulans viennent d'enlever Xerin, Président de la Fédération de la Première Galaxie. Il serait détenu dans un quadrant de l'hémisphère Nord de la planète Terre. On craint qu'il n'y subisse en ce moment même un lavage de cerveau. Les spécialistes de la Zand Corporation assurent que les céphalo-protections implantées dans ses centres nerveux ne tiendront pas plus de quarante-huit heures. Passé ce délai, nos Codes Informatiques de Défense seront aux mains des Gromulans qui, très probablement, les communiqueront à l'Empire du Drapeau Rouge. Comme vous êtes actuellement le meilleur Traqueur du Secteur 6, classé au 97e rang galactique, vous avez été spécialement désigné pour cette mission.

Si vous l'acceptez (selon les termes du Contrat Standard S.A.E., Tarif Spécial), vous devrez :

1. Vous rendre sur Terre où votre qualité de Traqueur vous servira de couverture,
2. Retrouver le Président dans les quarante-huit heures et,
3. LE SORTIR DE LA ! Un croiseur de la Flotte Galactique 7 attendra votre signal en orbite géostationnaire.

Notez que la réussite de cette mission peut vous procurer gloire et fortune. En revanche, si vous n'acceptiez pas ces conditions, l'Organisation des Traqueurs Associés ne vous garantirait plus la communication des avis de recherche galactiques.

Acceptez-vous cette mission ? (Répondez par Oui ou par Non.)

Merci.
Appuyez sur n'importe quelle touche pour obtenir des détails complémentaires...
Les Gromulans, ou Groms, appartiennent à une race d'origine inconnue, de type humanoïde. Hyperintelligents, ils se sont plus particulièrement spécialisés dans le terrorisme galactique. Experts dans la conception et la fabrication d'Androïdes, passés maîtres en illusion, ils sont les créateurs de l'Hallu-Vision 70, destinée au Syndicat Galactique. A la suite du vol de leurs brevets d'exploitation au siècle dernier, ils ont mis au point un appareil, appelé Hallucinoscope, qui est un générateur portatif d'illusions.
Les Gromulans s'attendent certainement à une tentative de récupération du Président, aussi PRUDENCE ! Pour vous aider dans cette délicate mission, nous avons dû réactiver les Androïdes

-Espions infiltrés dans ce secteur. Vous pourrez entrer en contact avec eux grâce au Code, mais soyez très méfiant car les Groms ont souvent réussi à « retourner » nos Androïdes-Espions.
Les Gromulans ont installé leurs bases sur la Terre au siècle dernier. Cette petite planète insignifiante des confins de la Galaxie fut, autrefois, extrêmement peuplée. En raison de la décadence progressive de leur civilisation, la grande majorité de ses habitants a émigré sur Alpha du Centaure. Actuellement, la seule source de revenus des Terriens vient du transport de fret intergalactique et de l'exploitation des mines de sel.
Comme, malheureusement, le rayonnement magnétophotonique de ce système solaire neutralise le phozon, nos détecteurs se révèlent totalement inefficaces sur cette planète. Vous devrez donc lancer un signal visuel au croiseur de récupération, une fois que vous aurez retrouvé et délivré le Président.
Grâce à son éloignement du centre de la Galaxie et à l'inactivité de nos détecteurs, la Terre est devenue le refuge privilégié de nombreux fugitifs ; vous y rencontrerez sans doute la plupart de vos « cibles » habituelles. Aussi pourrez-vous exercer normalement vos activités en cours de mission. Si cela rend son accomplissement plus difficile, votre propre couverture s'en trouvera cependant renforcée.

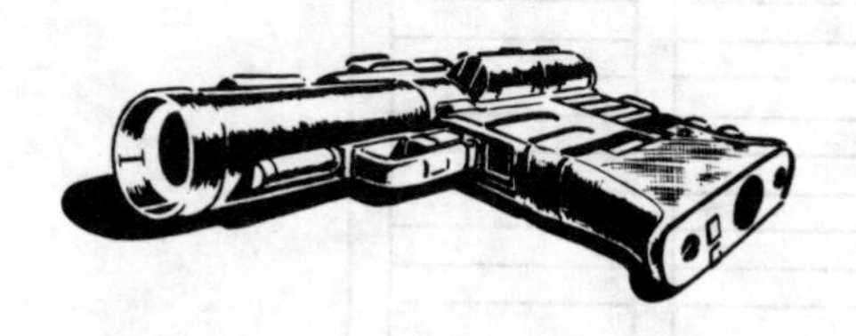

FEUILLE D'AVENTURE

TEMPS	INDICES	HABILETE	ENDURANCE
48		Total de départ :	Total de départ :
		CHANCE	PEUR
		Total de départ :	
	OXYGENE	CALCULS	

CASES DES RENCONTRES AVEC UNE CREATURE

Habileté : Endurance :	Habileté : Endurance :	Habileté : Endurance :	Habileté : Endurance :
Habileté : Endurance :	Habileté : Endurance :	Habileté : Endurance :	Habileté : Endurance :
Habileté : Endurance :	Habileté : Endurance :	Habileté : Endurance :	Habileté : Endurance :
EPREUVES PHYSIQUES	EPREUVES PHYSIQUES	EPREUVES PHYSIQUES	EPREUVES PHYSIQUES
SPECIALE	SPECIALE	SPECIALE	SPECIALE

Ennemis possibles

Gromulans (Groms)

Les Gromulans, êtres aux capacités plus intellectuelles que physiques, préféreront généralement se rendre plutôt que de combattre. Spécialistes de l'illusion hypnotique, ils peuvent vous faire prendre des vessies pour des lanternes. Autrefois nomades, ils ne sont installés sur Terre que depuis un siècle. C'est là qu'ils ont conçu leurs Androïdes et le fameux Hallucinoscope. Ils ont aussi une prédilection particulière pour le jeu d'échecs et les escargots.

Androïdes Gromulans

Il existe différents modèles de ces robots qui constituent la force principale des Groms. Les Androïdes de Classe Excel sont TRES DANGEREUX. En tant qu'expert en techniques de combat contre les Androïdes, si vous avez de grandes chances de l'emporter contre des Gardes, des Androïdes de la PolGrom, des Admins ou des RoboNets, soyez particulièrement prudent face aux Excels. Si vous le pouvez, tâchez de découvrir leur point faible ; en effet, craignant que leurs créatures ne se retournent contre eux, les Groms les ont toutes équipées d'un circuit de désactivation. Comme pour tout autre type de robot, un Androïde gravement endommagé s'autodétruit aussitôt.

Fugitifs et Criminels

Vous pourrez rencontrer tous les types de criminels, des Ferians aux Pirates. La plupart ne feront pas attention à vous. Cependant, s'ils vous soupçonnent d'être un Traqueur, ils peuvent aussi bien s'enfuir que vous attaquer. Souvenez-vous que, même sur Terre, vous êtes soumis aux Lois Galactiques et que vous ne devez pas tuer d'êtres humains. Si cela vous arrive, vous serez automatiquement considéré comme criminel et recherché en conséquence. Si vous découvrez des fugitifs, contentez-vous de les « mémoriser » et de les « marquer » pour les ramasser une fois votre mission accomplie.

Houlgans

Ces individus, d'origine terrienne, se sont regroupés en bandes extrêmement violentes, réparties en 80 ou 90 tribus. Ils se réclament d'une religion oubliée depuis longtemps et ne se différencient les uns des autres que par la couleur d'une partie de leur vêtements, généralement une écharpe. Chaque tribu a adopté une couleur et un style de vêtement particulier. Si leur potentiel individuel de combat est nul, ils peuvent se révéler redoutables en bande. Vous devez pouvoir les manipuler à votre profit. Les tribus connues les plus importantes sont celles de R'al, de Juve, de Stienn, de L'pool et de G'ners. Ne portez jamais une écharpe colorée : les Houlgans pourraient s'en offenser.

Monstres et Illusions

Les Groms apprécient énormément ce genre de choses. N'oubliez jamais que les Hallucinoscopes sont extrêmement répandus. Vous AUREZ peur ! Les illusions créées par les Gromulans sont prévues pour effrayer même un Brontian ! Notez également qu'elles peuvent avoir une taille gigantesque.

Armes

Si les Traqueurs ne disposent pas de beaucoup d'armes individuelles, ils sont malgré tout spécialement entraînés au maniement de nombre d'entre elles — désintégrateurs, paralysants, et même épées neutroniques (aujourd'hui démodées) — bien qu'ils préfèrent utiliser leur vivacité d'esprit, leurs extraordinaires réflexes et leur remarquable faculté d'adaptation aux événements. En cas de besoin, ils se servent le plus souvent d'un Englueur. Cette arme, conçue par Ulidor Zonie, projette un film plastique qui, en se solidifiant, emprisonne complètement la cible visée dans un filet extrêmement résistant — appelé filoplast — qui l'immobilise totalement. Malheureusement, le taux d'échec est assez important (33%).

Aptitudes

Votre mission va vous entraîner sur une planète étrange où vous affronterez des dangers inconnus. Aussi devez-vous déterminer vos propres forces et faiblesses. Vous aurez besoin de deux dés, d'un crayon et d'une gomme. La *Feuille d'Aventure* fournie (page 12) vous permettra de noter, au fur et à mesure que votre enquête progressera, les scores et les indices découverts, le temps écoulé et l'oxygène consommé.

Habileté

Lancez un dé. Ajoutez 6 au chiffre obtenu et inscrivez le total dans la case HABILETÉ de la *Feuille d'Aventure*. Vos points d'HABILETÉ reflètent à la fois votre combativité et votre intelligence à résoudre les problèmes posés ; plus ils sont élevés, mieux c'est.

Endurance

Lancez deux dés. Ajoutez 12 au chiffre obtenu et inscrivez le total dans la case ENDURANCE. Ces points traduisent vos facultés d'adaptation et votre détermination à réussir votre mission. Plus vos points d'ENDURANCE sont élevés, plus vous serez capable de survivre longtemps et de vous sortir de situations délicates qui nécessitent un effort physique — comme courir, sauter ou nager. Ces totaux d'ENDURANCE ou d'HABILETÉ changent constamment au cours de l'aventure. D'autre part, n'oubliez pas d'entretenir votre bonne condition physique : si vous avez la possibilité de manger, faites-le ; si vous avez besoin de vous reposer, n'hésitez pas. Vous n'êtes pas un Crinkletron phozonique !

Chance

Même un Traqueur d'élite a besoin d'un peu de CHANCE pour survivre. Lancez un dé. Ajoutez 6 au chiffre obtenu et inscrivez le total dans la case CHANCE de votre *Feuille d'Aventure*. A chaque fois qu'il vous sera demandé de *Tenter votre Chance*, lancez deux dés. Si le résultat obtenu est *égal* ou *inférieur* à votre total de CHANCE, vous êtes Chanceux. Si ce chiffre est *supérieur* à ce même total, vous êtes Malchanceux. Chaque fois que vous *Tentez votre Chance*, il vous faut ôter 1 point à votre total de CHANCE. Il peut arriver que vous récupériez des points de CHANCE ; cependant, si votre total de points de CHANCE est égal ou inférieur à 0, vous serez Malchanceux quelle que soit la situation.

Peur

Lancez un dé. Ajoutez 6 au chiffre obtenu et inscrivez le total dans la case PEUR de votre *Feuille d'Aventure*. Comme les Gromulans utilisent souvent l'illusion pour effrayer leurs adversaires, vous aurez parfois à *Tester votre Peur*. Si vous êtes facilement influençable psychiquement, votre ENDURANCE et votre HABILETÉ s'en ressentent et vous devrez réduire vos points en conséquence si le lancer de dé fait apparaître que vous êtes effrayé. Vous déterminez votre condition psychique de la même manière que vous avez déterminé votre CHANCE (voir ci-dessus). Ce facteur de PEUR ne varie pas pendant la mission.

Temps

Le temps est un facteur essentiel dans cette mission. En effet, vous devez l'accomplir avant que le temps qui vous est imparti ne soit écoulé. Vous disposez de 48 heures terrestres, soit 48 unités galactiques. Ce nombre diminue à mesure que vous progressez dans votre aventure. Notez-en soigneusement le décompte. Tâchez de ne pas perdre trop de TEMPS mais pensez cependant à récolter des indices qui peuvent vous faire gagner du TEMPS par la suite. Si jamais votre crédit de TEMPS est égal à 0, vous aurez échoué dans votre mission car les Gromulans auront réussi à extraire les Codes Informatiques de Défense du cerveau du Président.

Combats

Si l'Englueur dont vous êtes équipé peut parfois vous permettre d'éviter un affrontement direct, il peut arriver que vous soyez cependant obligé de combattre. Ce sera généralement un combat au corps à corps, bien que vous puissiez également utiliser des armes. Dans tous les cas, vous devez engager le combat comme suit :

1. Indiquez d'abord le nombre de points d'ENDURANCE et d'HABILETÉ de votre adversaire dans une des cases de votre *Feuille d'Aventure*.
2. Jetez deux dés pour votre adversaire. Ajoutez ses points d'HABILETÉ au chiffre obtenu. Ce total vous donnera sa *Force d'Attaque*.
3. Jetez deux dés pour vous-même. Ajoutez le chiffre obtenu à vos propres points d'HABILETÉ. Ce total représente votre *Force d'Attaque*.
4. Si votre *Force d'Attaque* est supérieure à celle de votre adversaire, vous l'avez blessé. Votre adversaire perd alors 2 points d'ENDURANCE.
5. Si la *Force d'Attaque* de votre adversaire est supérieure à la vôtre, c'est lui qui vous a blessé et vous perdez 2 points d'ENDURANCE.
6. Si les deux *Forces d'Attaque* sont égales, vous avez chacun esquivé les coups de l'autre.
7. Modifiez votre score d'ENDURANCE ou celui de votre adversaire selon le cas et commencez le deuxième Assaut.
8. Recommencez ainsi jusqu'à ce que le nombre de points d'ENDURANCE de l'un ou de l'autre soit égal à 0. Le combat est alors terminé.

Si vous perdez, cela signifie généralement la mort ; cependant, il est possible que vous parveniez à vous

échapper et que vous puissiez récupérer progressivement votre ENDURANCE.
Si vous obtenez un double 6 au cours d'un combat contre un Androïde, vous aurez alors découvert son « point faible » et vous le désactivez. Le combat est immédiatement terminé.

Exploits

Dans certaines circonstances, vous devrez utiliser votre ENDURANCE et votre HABILETÉ en combat aérien, au tir, etc. Vous devrez alors noter ces détails dans la case SPÉCIALE de votre *Feuille d'Aventure* SANS réduire votre total d'ENDURANCE.
Au cours de cette mission, vous aurez également parfois à déterminer des distances à franchir à la nage, en sautant, etc., puis à évaluer votre capacité physique à accomplir cet exploit. Pour cela, jetez un dé et ajoutez le chiffre obtenu à votre total d'ENDURANCE. Vous devrez noter ces détails dans les cases EPREUVES PHYSIQUES de votre *Feuille d'Aventure* SANS augmenter le nombre de vos points d'ENDURANCE.

BONNE CHANCE !

Fin de message.

1 *Un Androïde de service vous indique votre siège puis vous tend la traditionnelle plaquette d'instructions de sauvetage...*

1

Vous pénétrez au ralenti dans la Station Orbitale 23. Devant vous, un grand panneau lumineux annonce : « Terre, toutes destinations, Secteur 3 ». Après avoir garé votre vaisseau dans le parc réservé, vous vous approchez d'un des comptoirs de vente de billets. L'endroit est désert et plutôt minable. Comme personne ne vient, vous tapez un petit coup sec sur la vitre de Plexiglas. Un Androïde du MegaCorp arrive aussitôt et vous demande d'une voix faible ce que vous désirez. A en juger par la mauvaise qualité de ses circuits vocaux, il devrait être à la retraite depuis longtemps. Il a même des difficultés à comprendre que vous voulez un billet pour la prochaine navette vers la Terre. Il finit tout de même par prendre votre carte de crédit, en marmonnant quelque chose comme : « C'est parfait ». Quelques minutes plus tard, alors que vous êtes déjà dans le couloir d'accès à l'embarquement, vous entendez la voix rouillée du MegaCorp lancer à votre intention : « Bonne journée ! » Il y a environ trente places dans la navette, dont cinq seulement sont occupées. Un Androïde de service vous indique votre siège puis vous tend d'un air indifférent et blasé la traditionnelle plaquette d'instructions de sauvetage.

— Que désirez-vous prendre, monsieur ? demande-t-il enfin.

Allez-vous répondre :

Rien ? Rendez-vous au **199**

Un cocktail ? Rendez-vous au **69**

Quelques nourricubes ? Rendez-vous au **203**

2

Vous vous trouvez dans une salle vide avec des sorties au nord-est (rendez-vous au **7**) et au sud-ouest (rendez-vous au **395**). Vers le nord-ouest, vous distinguez l'entrée d'un nouveau tunnel (rendez-vous au **27**).

3

Au bout de quelques minutes de marche dans l'étroit boyau, vous percevez des trépidations de machines. Par acquit de conscience, vous tapez du poing sur les parois. Les murs rendent un son creux. En deux violents coups de pied, vous défoncez le mur latéral et vous entrez dans un petit tunnel. A l'intérieur, un long tapis roulant, chargé de sel, se dirige vers Rome. Sans hésiter, vous sautez dessus et vous vous laissez transporter. Vous gagnez 2 points d'ENDURANCE. Rendez-vous au **149**.

4

On vous fait asseoir et on vous apporte bientôt une sorte de bouillie à l'étrange goût de kérosène. Tout le monde semble vous prendre pour un fugitif et, heureusement, personne ne vous pose de questions embarrassantes. Vous comprenez que la bande prépare une expédition contre des maisons du quartier grom. En les suivant, vous pourriez parvenir à un ComTerm et obtenir ainsi des informations. Vous réfléchissez à la question lorsqu'un grand barbu, au ventre énorme, s'approche de vous et vous frappe brusquement au visage ! Allez-vous riposter (rendez-vous au **216**) ou préférez-vous ne pas réagir (rendez-vous au **141**) ?

5

Vous vous approchez du terminal d'ordinateur de gauche. Il semble clair qu'il vous faut déplacer le Cavalier. Vous avez le choix entre deux mouvements : allez-vous déplacer le Cavalier en direction du Fou du Roi (rendez-vous au **160**) ou de la Tour du Roi (rendez-vous au **112**) ?

6

Un Grom apparaît soudain devant vous. En raison de sa grande taille et de sa belle prestance, il s'agit bien sûr d'un effet de l'Hallucinoscope. Le Grom sourit.

— Nos « espions » galactiques nous ont déjà informés que vous tentiez de délivrer le Président. Nous ne vous demandons qu'une simple confirmation et, en échange, vous serez richement récompensé. Si vous refusez d'avouer, nous serons obligés de vous garder prisonnier.

Ce qui, bien entendu, mettrait un terme à votre mission... Allez-vous lui dire ce qu'il désire entendre (rendez-vous au **57**) ou garder le silence (rendez-vous au **122**) ?

7

Vous vous trouvez dans un grand hall rempli de caisses de nourricubes et de désaltubes. Dans un coin, un Levatron empile des cartons. Désirez-vous en profiter pour vous reposer, boire et manger ? Si oui, décomptez 5 unités de TEMPS. Vous gagnez 4 points d'ENDURANCE. Maintenant, vous pouvez prendre la sortie nord-est (rendez-vous au **21**) ou sud-ouest (rendez-vous au **2**).

8

Vous avez trouvé. En effet, A + B – 1 = C. La porte s'ouvre dans un chuintement et vous vous trouvez en face d'une parfaite réplique de vous-même, l'Englueur à la main. Comme vous n'y prêtez aucune attention, l'illusion disparaît lentement. Le Com-Term est juste devant vous. En bas, le combat fait rage et vous comprenez, au sifflement des désintégrateurs, que GAS vous fait gagner un temps précieux. L'écran affiche :

Mot de passe 67 64 73 46 ?

Trouvez le chiffre qui complète la série et rendez-vous au paragraphe correspondant. Si vous ne trouvez pas la solution logique, rendez-vous au **169**.

9

Malgré votre intense répulsion, vous pénétrez quand même dans l'habitacle. Aussitôt, des mains s'accrochent à vos jambes. Vous ne sentez pourtant rien. Au moment où vous vous asseyez, à l'emplacement approximatif du siège, des doigts gluants vous enserrent lentement la gorge. Vous vous efforcez de penser à autre chose, puis vous plongez les bras dans l'immonde liquide bouillonnant à la recherche du démarreur de la fusée. Vous tâtonnez quelques secondes. Enfin, les réacteurs se mettent à vrombir tandis que le magma répugnant s'éclaircit, puis disparaît. En jetant un coup d'œil derrière votre siège, vous découvrez un pur produit de la technologie grome : un Hallucinoscope fixé au bouclier du Zip-Car qui devait vraisemblablement servir à protéger le vaisseau du Lurgan. Rendez-vous au **211**.

10

Vous attendez qu'il n'y ait plus aucun Grom ou Androïde en vue, puis vous pénétrez furtivement dans la pièce. Les criminels alignés vous observent avec étonnement. Sur l'écran du terminal, les Vidinfos diffusent des images de la TV intérieure grom. Soudain, vous voyez apparaître le Président, accompagné d'un Grom et de deux Gardes. Vous regardez attentivement les coordonnées affichées à gauche de l'écran. Si vous reconnaissez, dans les quatre pre-

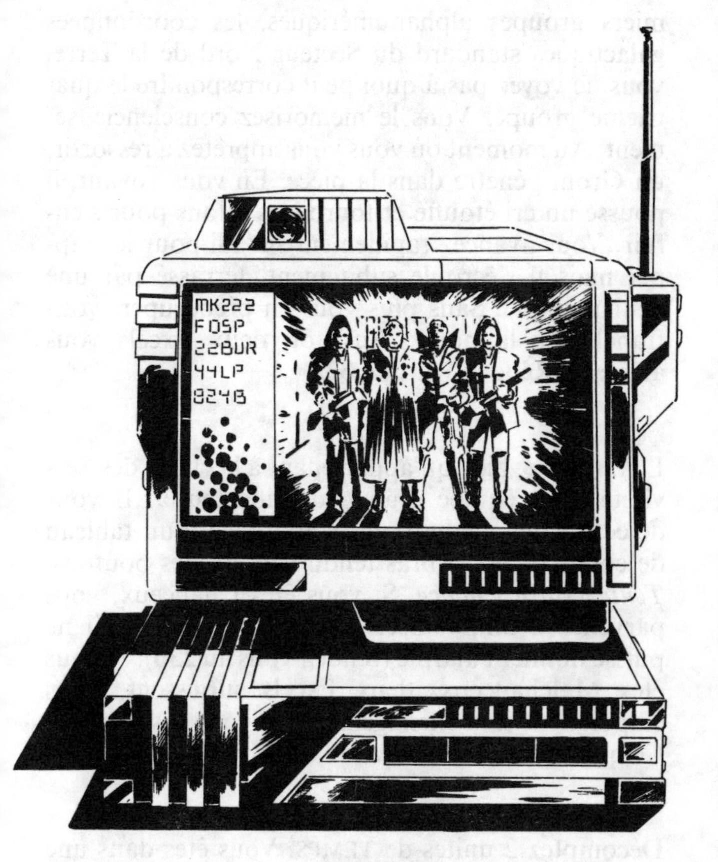

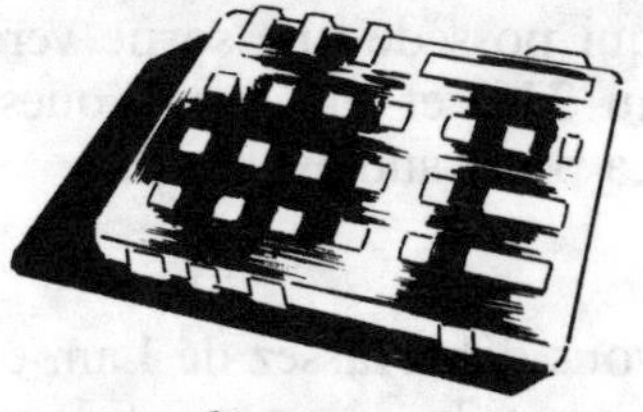

10 *Sur l'écran du terminal, vous voyez apparaître le Président, accompagné d'un Grom et de deux Gardes.*

miers groupes alphanumériques, les coordonnées galactiques standard du Secteur Nord de la Terre, vous ne voyez pas à quoi peut correspondre le quatrième groupe. Vous le mémorisez consciencieusement. Au moment où vous vous apprêtez à ressortir, un Grom pénètre dans la pièce. En vous voyant, il pousse un cri étouffé et tourne les talons pour s'enfuir. Vous avancez rapidement sur lui pour le frapper mais il s'écroule subitement, terrassé par une peur panique. Sans plus vous en préoccuper, vous franchissez la porte. Aussitôt, deux Excels vous arrêtent. Rendez-vous au **322**.

11

L'Androïde, bien qu'appartenant à la classe des Serviteurs, est équipé d'un « identificateur ». Il vous détecte, vous analyse puis s'approche d'un tableau de commandes, le bras tendu vers un des boutons. *Tentez votre Chance.* Si vous êtes Chanceux, vous parvenez à immobiliser l'Androïde avant qu'il ne puisse donner l'alarme (rendez-vous au **236**). Si vous êtes Malchanceux, deux Excels surgissent, vous empoignent sans ménagements et vous assomment. Ce qui met un terme à votre mission.

12

Décomptez 2 unités de TEMPS. Vous êtes dans une pièce qui possède une sortie vers le nord (rendez-vous au **336**) et une vers l'ouest (rendez-vous au **180**). La porte sud est bloquée.

13

Vous vous débarrassez de Lam en lui expédiant un violent coup de poing avant de vous précipiter vers Willi qui a soulevé une plaque d'égout. Sans hésiter, vous vous engouffrez dans un puits de faible profondeur. Devant vous s'ouvre une galerie au fond de laquelle il vous semble distinguer une vague lueur. Willi ouvre grands les yeux afin de mieux éclairer les lieux, ce qui vous permet d'avancer sans trop de difficultés parmi les canalisations et les câbles qui courent sur le sol. Vous avez parcouru une cinquantaine de mètres lorsque votre compagnon trébuche et tombe dans une flaque d'eau. Au-dessus de vous se trouve une grille. Soudain, un gémissement vous fait vous retourner pour constater que Willi a disparu. A l'évidence, il est tombé dans une sorte de grosse canalisation que vous n'aviez pas remarquée jusqu'alors. Allez-vous essayer d'atteindre la grille (rendez-vous au **192**) ou descendre dans la canalisation (rendez-vous au **255**) ?

14

L'intérieur du bar *le Spot* est plutôt sombre. Vous distinguez cependant quelques alcôves fermées. Vous mettez un crédit dans la fente prévue à cet effet et la porte coulisse lentement. Vous entrez dans la cabine et vous vous asseyez sur l'unique siège. Aussitôt, quatre menus s'affichent sur un écran. La simple lecture de la description des plats vous donne faim. Vous sélectionnez le menu le plus cher. Quelques secondes plus tard, un tiroir s'ouvre. A l'intérieur, plutôt déçu, vous ne trouvez que les nourricubes habituels, quoique présentés dans un emballage différent. Vous récupérez 2 points d'ENDURANCE. Rendez-vous au **136**.

15

Le cliquetis s'arrête et l'Excel se dirige vers la rue. Vous le laissez passer. Vous réalisez brusquement que la programmation de combat des VidEnts ne prévoit pas une attaque par-derrière. Vous sortez alors votre Englueur et vous tirez trois fois. L'Excel chancelle et titube, puis entreprend de déchirer le filoplast qui le recouvre. Vous demandez aux deux hommes de venir vous aider et vous tombez à bras raccourcis sur l'Androïde. Sa force est extraordinaire et, malgré tous vos efforts, vous ne parvenez pas à le maîtriser. Voyant cela la serveuse monte dans le ZipCar et s'approche du lieu du combat. Vous vous écartez rapidement. Alors que l'Excel se relève et se prépare à vous réduire en bouillie, elle dirige la flamme du réacteur de l'appareil vers son dos. L'Androïde s'écroule brusquement, ses circuits à nu et à moitié carbonisés. Rendez-vous au **161**.

16

Tandis qu'on emmène le Gigantian sans connaissance, on vous enchaîne et on vous laisse seul. Vous regardez partir tout le monde et vous cherchez des yeux votre équipement. Avec soulagement, vous découvrez votre Chronographe et votre Englueur posés sur une chaise proche. D'après ce que vous avez compris des conversations, vous savez que vous êtes à Paris. Si vous parvenez à émettre le Code, un de vos Androïdes-Espions pourrait le capter. Vous étendez la jambe en essayant d'accrocher un des pieds de la chaise pour la rapprocher de vous. Lancez deux dés : le résultat illustrera la distance qui vous sépare de la chaise. Lancez ensuite un dé et ajoutez le chiffre obtenu à votre total d'ENDURANCE. Si ce dernier résultat est supérieur au premier, vous réussissez dans votre entreprise, rendez-vous au **94**. Sinon, vous échouez, et votre aventure se termine ici.

17

Vous déchirez l'emballage du nourricube et vous mordez vigoureusement dans la pâte épaisse et brune. Soudain, vous entendez le grondement de Motofuses puis, avant même que vous ne puissiez faire un geste, Lopsti et sa bande surgissent de toutes parts. Vous êtes cerné. Certains de ses hommes font tournoyer leurs massues d'un air menaçant et d'autres ont le doigt crispé sur la détente de leurs paralysants.

— Suis-nous ! intime Lopsti.

Allez-vous combattre (rendez-vous au **248**) ou les suivre en espérant pouvoir tenter quelque chose plus tard (rendez-vous au **175**) ?

18

Bien joué ! En effet, l'équation est : A : C x 2. La porte coulisse sans bruit et vous pénétrez dans une pièce sombre où l'écran d'un ComTerm jette une pâle lueur verte. Vous voyez affiché un menu dont une des sélections possibles s'intitule « Sécurité ». Vous tapez la touche indiquée et un sous-menu apparaît aussitôt avec, entre autres, une option « Président ». Les Groms sont vraiment des êtres logiques et efficaces ! Vous appelez évidemment cette option mais vous n'obtenez alors qu'une suite de nombres :

1 8 27 ?

Découvrez le chiffre qui complète logiquement cette série et rendez-vous au paragraphe correspondant. Vous saurez immédiatement si vous avez vu juste. Si vous ne découvrez pas la solution, rendez-vous au **124**.

19

Kinta Lopsti vous a battu. Profitant qu'il se précipite à l'extérieur pour appeler le reste de sa bande, vous vous faufilez sous les marches du restaurant puis vous passez à travers une grille d'aération cassée. De votre cachette, vous entendez les cris de dépit de la bande et la fureur de Lopsti de vous avoir perdu. Au bout d'un moment, toute la bande s'en va, en faisant vrombir rageusement ses Motofuses. Vous ressortez aussitôt de votre abri et vous retournez dans le restaurant, maintenant désert. En fouillant, vous découvrez un horaire de la compagnie Flèche d'Argent : le prochain passage de l'atmobus n'a lieu que dans 48 heures. Le service du restaurant suit apparemment les horaires de la ligne. Vous êtes fatigué et vous avez faim. Vous trouvez un distributeur de nourricubes mais la machine refuse obstinément vos crédits. Allez-vous la forcer (rendez-vous au **101**) ou ressortir (rendez-vous au **230**) ?

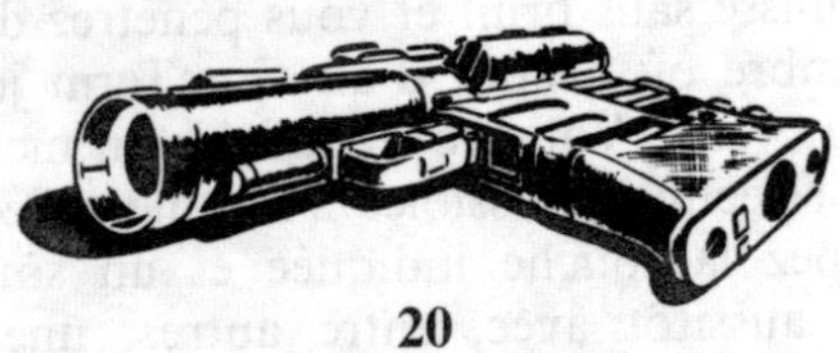

20

La porte s'ouvre aisément et vous avez soudain devant les yeux une projection en 3D de la flotte de récupération intergalactique. Examinant les lieux, vous comprenez que vous vous trouvez dans un studio de transmission grom qui diffuse les dernières nouvelles aux différents ComTerms gromulans. Tandis que vous tâchez d'évaluer l'importance de la flotte de récupération, un technicien grom entre et, vous apercevant, se met à hurler et s'enfuit. Avant que vous n'ayez eu le temps de réagir, un Gigantian apparaît dans l'encadrement de la porte, se redresse de toute sa taille et vous fixe d'un regard froid. Vous saisissez votre épée neutronique mais le Gigantian, ouvrant la bouche, vous atteint au front d'un rayon de la mort korwellian. Vous n'aviez pas l'ombre d'une chance...

21

Vous vous trouvez dans une pièce dont les issues nord et sud-est sont bloquées. Allez-vous choisir celle se situant vers :

Le nord-est ?	Rendez-vous au **62**
L'est ?	Rendez-vous au **48**
Le sud-ouest ?	Rendez-vous au **85**
L'ouest ?	Rendez-vous au **7**

Au nord-ouest, vous apercevez également un petit tunnel (rendez-vous au **82**).

22

L'atmobus Flèche d'Argent décolle brutalement dans une embardée. Pendant tout le trajet, vous subissez les conversations des représentants de commerce qui se racontent leurs dernières aventures sur Luxurus, la planète des plaisirs. Vous atterrissez enfin à Madrid où tout le monde descend. Rendez-vous au **179**.

23

Vous êtes immédiatement aspiré par le vide spatial. Vous tournoyez longuement dans l'apesanteur lorsqu'un courant de particules vous emporte dans le néant où votre mission s'achève.

24

Portant toujours le Président sur le dos, vous suivez le tunnel et vous parvenez enfin au pied d'un escalier en colimaçon. A côté, vous remarquez un grand ascenseur d'un très vieux modèle, couvert de graffitis à moitié effacés qui ne signifient rien pour vous. Déjà, vous entendez se rapprocher vos poursuivants. Allez-vous emprunter l'ascenseur (rendez-vous au **307**) ou grimper par l'escalier (rendez-vous au **371**) ?

25

L'échelle est solide, mais elle est si graisseuse que vous avez du mal à assurer votre prise sur les barreaux d'acier. L'effort est si intense que vous devez vous reposer quelques minutes. Cependant, vous vous rapprochez petit à petit de la source de lumière. Décomptez 2 unités de TEMPS. Rendez-vous au **209**.

26

Vous franchissez le seuil et la porte se referme derrière vous. Vous vous trouvez dans un réservoir d'eau en verre, l'énorme masse liquide suspendue à quelques mètres au-dessus de vous ! Vous vous retournez : la porte par laquelle vous êtes entré a disparu ! Soudain, une lourde bille d'acier hérissée de piquants tombe du plafond liquide et crève le sol. D'autres suivent bientôt. Décomptez 2 unités de TEMPS. *Tentez votre Chance* trois fois de suite. Si vous êtes Malchanceux, vous ne parvenez pas à éviter l'une des billes (rendez-vous au **201**). Si vous êtes Chanceux les trois fois, les chutes répétées des billes ont tellement affaibli le plancher qu'il s'effondre brutalement, vous emportant dans sa chute (rendez-vous au **333**).

27

Vous vous précipitez dans l'obscurité de ce nouveau tunnel et, une seconde après, vous vous empalez sur une longue pique d'acier. Le tunnel n'était qu'une illusion créée par les Groms et vous vous êtes laissé prendre à ce piège mortel.

28

Vous vous allongez vivement sur le sol répugnant. Le Rat s'arrête juste devant vous et entreprend de souder une section de canalisation. Vous restez absolument immobile. Son travail enfin terminé, il commence à s'éloigner puis s'arrête brusquement et revient sur ses pas, son détecteur bien visible au milieu de son ventre. Il risque de déceler la chaleur que dégage votre corps et de vous désintégrer. Allez-vous fuir (rendez-vous au **289**) ou briser le détecteur (rendez-vous au **81**) ?

29

Vous n'êtes plus qu'à quelques mètres des Houlgans lorsqu'ils vous remarquent enfin. Ils vous entourent lentement. Certains font tournoyer d'antiques chaînes de moto tout en vous observant prudemment.

— Vous n'auriez pas quelques crédits ? dit l'un des Houlgans, qui semble être leur chef, en s'approchant de vous.

Vous le regardez attentivement et vous vous apercevez qu'il a le nombre 90 tatoué sur la joue. Allez-vous lui donner les crédits qu'il demande (rendez-vous au **147**) ou refuser en vous tenant éventuellement prêt à riposter (rendez-vous au **287**) ?

30

Vous ne faites plus un geste tandis que l'aéronef de la PolGrom atterrit. Peu après, deux Excels en descendent et vous encadrent. L'Androïde que vous suiviez s'approche également. Les Excels vous fouillent soigneusement et trouvent votre CI, l'Englueur et le Chronographe. L'Androïde prend votre Chronographe et le retourne lentement entre ses doigts. Il découvre finalement le Code et l'actionne. Le bras de l'Androïde émet alors un bip sonore et, sans savoir comment, vous vous trouvez dans une sorte de boîte. Il s'agit sans aucun doute d'une illusion.

Soudain, les perspectives se modifient et les murs tour à tour s'élargissent, se rétrécissent et s'allongent. Vous êtes complètement désorienté et étourdi. Lorsque vous reprenez conscience, vous êtes dans une cellule grom, solidement attaché par des courroies à un « Inquisiteur » de la Zand. Un long cycle d'interrogatoire commence. Vous n'aurez pas le loisir d'accomplir votre mission.

31

Vous examinez les alentours. Au loin, deux Gardes androïdes déambulent sur une large avenue. Ils semblent chercher quelque chose. Vous vous éloignez discrètement et vous tournez à gauche dans une petite rue. Vous remarquez alors une ancienne boutique de VidLog qui présente encore quelques antiques disquettes en vitrine. Vous n'en aviez plus vu depuis votre enfance et votre visite au musée Cavod et Xiberti. Allez-vous entrer dans la boutique (rendez-vous au **251**) ou continuer votre chemin (rendez-vous au **83**) ?

32

Vous regardez autour de vous. Vous vous trouvez dans une grande propriété. Vous êtes en train de traverser les jardins lorsque vous entendez quelqu'un vous appeler du seuil de la maison : un Grom ! Il vous fait signe d'approcher.

— C'est une chance que vous soyez là, dit le Grom lorsque vous l'avez rejoint, car mon régulateur d'acide vient de tomber en panne. L'Hallucinoscope ne fonctionne plus et mes Androïdes sont totalement paralysés. Venez voir.

Il vous montre le chemin en passant devant plusieurs Androïdes immobiles et vous conduit jusqu'à son

ComTerm. Il vous observe alors d'un air interrogateur. L'occasion est trop belle ! Aussi, prenez-vous le Grom par le bras en le menaçant pour l'obliger à consulter la Sécurité grome et à demander des informations au sujet du Président. Le sang se retire brusquement de son visage tandis qu'il manie maladroitement ses clés. Il sombre bientôt dans un coma mortel. Décomptez 2 unités de TEMPS. Rendez-vous au **237**.

33

Vous avez trouvé la bonne équation : A + B – 1 = C. L'écran présente alors un menu dans lequel vous choisissez « Informations Secrètes ». Vous accédez alors à un autre menu qui dispose d'une option concernant le Président. Vous tapez sur la touche indiquée et vous voyez seulement s'afficher :

212 (59) 94
737 (?) 173

Si vous trouvez la bonne réponse, rendez-vous au paragraphe correspondant où vous saurez immédiatement si vous avez raison. Si vous ne parvenez pas à la découvrir, rendez-vous au **194**.

34

L'Androïde sort précipitamment de l'immeuble et s'écroule face contre terre devant vous, deux gros trous visibles sur le flanc. Il tient encore un morceau de papier entre les doigts. En lisant ce qui est écrit, vous ne reconnaissez que les trois premiers codes alphanumériques correspondant aux coordonnées galactiques de Londres et vous notez le quatrième groupe (si vous ne l'avez pas déjà fait). Décomptez 2 unités de TEMPS. Soudain, un aéronef grom apparaît puis tire de tous ses canons dans votre direction.

Vous fuyez. Allez-vous tourner à gauche (rendez-vous au **104**) ou à droite (rendez-vous au **156**) ?

35

Vous vous arrêtez dans le tunnel car vous vous trouvez soudain en face de vous-même, l'épée neutronique à la main. Vous pensez tout d'abord qu'il s'agit d'une illusion, mais vous abandonnez rapidement cette idée lorsque le faisceau neutronique de votre double entame le protège-épaule de votre combinaison. Vous comprenez alors que les Groms ont fabriqué un Androïde à votre image. Vous allez devoir le combattre.

RÉPLIQUE
ANDROIDE HABILETÉ : 9 ENDURANCE : 10

Si vous êtes vainqueur, une petite sangsue volante de Stokex 9 jaillit des entrailles de l'Androïde et vient s'enrouler autour de votre jambe. Vous devez rapidement la couper en deux. Vous perdez 2 points d'ENDURANCE. Rendez-vous au **21**.

36

Accompagné de Willi, vous vous dirigez vers le sud et la maison de son maître. L'Androïde est très bavard car on lui a implanté un Processeur Multipersonnalité. Cependant, certains de ses circuits de coordination sont abîmés et il laisse de nouveau tomber ses paquets. Lorsque vous arrivez à destination, c'est vous qui les portez presque tous. Vous apercevez alors trois Gardes postés devant la maison, munis d'un Hallucinoscope et d'autres appareils groms. Willi vous fait signe lorsque la voie est libre et vous indique la porte située au sommet de l'escalier. Il n'a pas eu la possibilité de pénétrer à l'intérieur et d'interroger le ComTerm. Vous grimpez alors les marches quatre à quatre. La porte n'est pas fermée à clé. Vous précipitez-vous à l'intérieur de la maison (rendez-vous au **260**) ou préférez-vous vérifiez d'abord la présence éventuelle d'un signal d'alarme (rendez-vous au **301**) ?

37

Vous êtes maintenant dans une pièce dont les sorties sud, nord-est et nord-ouest sont bloquées. En revanche, vous pouvez emprunter une porte sans indications particulières (rendez-vous au **20**), une issue située à l'ouest (rendez-vous au **353**) ou une autre située à l'est (rendez-vous au **116**).

38

Vous tapez « A » et l'écran affiche alors :

Q867 RT88 20KK

Vous avez juste le temps de reconnaître le code de la base de Londres, puis l'écran s'éteint. Rendez-vous au **368**.

39

La navette atterrit dans la partie obscure de la planète, une région désolée du Secteur 3. Comme vous n'apercevez aucune lumière, vous supposez que la station a été construite à une époque où les navettes avaient besoin de grands espaces pour atterrir. Vous suivez les passagers qui s'engouffrent dans les bâtiments de l'astroport. En levant les yeux, vous apercevez le sigle familier d'une société de Location de Fusées. Vous vous approchez du comptoir délabré. Comme il n'y a pas d'Androïde de service, vous patientez quelque temps en feuilletant les brochures des ZipCars. Les autres passagers font la queue pour monter dans l'atmobus Flèche d'Argent à destination de Madrid qui attend à l'extérieur, ses réacteurs crachant une épaisse fumée noire. A l'autre extrémité de la salle, un RoboNet se repose et vous observe d'un regard lourd. Allez-vous continuer d'attendre pour obtenir un ZipCar (rendez-vous au **145**), parler à l'Androïde (rendez-vous au **357**) ou rejoindre les autres dans la Flèche d'Argent (rendez-vous au **373**) ?

40

Lorsque vous vous réveillez, vous vous apercevez que vous êtes allongé près d'une piscine antigravitationnelle. Tandis que vous fixez le bloc d'eau, le Grom entre.

— Je suis absolument désolé d'avoir dû tricher mais, le jeu est tellement plus passionnant lorsque l'enjeu semble être la vie elle-même.

Il vous offre à boire et à manger (vous gagnez 4 points d'ENDURANCE) puis vous parle de longues heures en glissant dans la conversation qu'il occupe un poste important au Quartier Général Gromulan. Près de la maison, dans un coin, se trouve un ComTerm qui émet parfois un bip. Le Grom vous abandonne un instant et vous apercevez alors brièvement sur l'écran l'image du Président Galactique. Allez-vous vous approcher du ComTerm (rendez-vous au **242**) ou rester où vous êtes (rendez-vous au **190**) ?

41

Le ZipCar fonctionne parfaitement et se place automatiquement dans le couloir aérien de Madrid. Vous le programmez sur « atterrissage automatique », puis vous tapez les coordonnées de l'astroport madrilène. Vous en profitez pour vous reposer tandis que l'appareil exécute toutes les opérations à votre place. Décomptez 2 unités de TEMPS. Une fois le ZipCar arrivé à destination, vous ouvrez la verrière d'Altuglas et vous descendez. Vous remarquez alors que l'Hallucinoscope recommence à fonctionner : le cockpit s'inonde de sang. En vous éloignant de l'appareil, vous remarquez qu'un Androïde de la PolGrom observe le ZipCar d'un air soupçonneux. Vous réalisez brusquement que c'est un appareil volé. Vous ne pourrez pas vous en resservir. Rendez-vous au **179**.

42

Vous vous mettez à courir à perdre haleine mais deux Androïdes surgissent derrière vous et vous prennent en chasse. Lancez trois dés pour déterminer la vitesse des Androïdes. Si cette vitesse est supérieure à votre total d'ENDURANCE, les Androïdes vous obligent à changer de direction (rendez-vous au **262**). Si votre ENDURANCE est égale ou supérieure à leur vitesse, vous parvenez à les distancer. Vous continuez de courir encore quelques instants puis, stoppant près d'un grand immeuble, vous examinez les alentours (rendez-vous au **59**).

43

L'Androïde, après vous avoir expliqué qu'il appartient à la série GAS (Genre Apparences et Secrets), part d'un bon pas en direction de l'est. Par de multiples détours dans les ruelles, vous arrivez bientôt devant une demeure grom. GAS ne semble aucunement impressionné par la présence de deux Gardes à la porte. Il vous dit simplement d'attendre puis s'approche à reculons des Gardes en traînant la jambe. Les Gardes s'approchent de lui, bourdonnant de curiosité. Une fois à leur hauteur, GAS coupe la tête du premier du tranchant de la main et lance un bon coup de pied dans le ventre de l'autre. Vous vous précipitez pour l'aider pendant que les Gardes terrassés se débattent en grésillant de tous leurs circuits. Vous vous asseyez sur l'un des deux pour l'immobiliser en attendant qu'il s'autodétruise, puis vous suivez GAS dans la maison.

— Le ComTerm doit être à l'étage supérieur, dit l'Androïde en se plaçant près de l'ascenseur, le désintégrateur dans une main, le paralysant dans l'autre.

Une fois en haut, vous entendez le sifflement caractéristique du désintégrateur et vous comprenez aussitôt que vous n'avez pas beaucoup de temps pour agir. Vous vous approchez de la porte qui est juste devant vous. Rendez-vous au **92**.

44

La pièce dans laquelle vous venez d'entrer a été apparemment complètement remeublée dans le style hitech gromulan. Sur le Vidécran encastré dans le mur, vous voyez une PhotoVid de vous accompagnée d'un message indiquant que vous vous trouvez vraisemblablement aux alentours de la base de Londres. Décomptez 2 unités de TEMPS. Vous pouvez emprunter la porte marquée « Entrée strictement interdite » (rendez-vous au **334**) ou l'une des sorties ouest (rendez-vous au **71**) ou est (rendez-vous au **131**).

45

Vous êtes très fatigué lorsque vous arrivez enfin à l'astroport de Rome. Vous vérifiez l'heure de départ de l'atmobus et vous programmez votre Chronographe en conséquence. En sortant du terminal, vous apercevez un RestoSom d'assez médiocre apparence, vers lequel se dirigent la plupart des passagers douteux de l'atmobus. Vous les imitez.

— C'est parfait ! grince le robot-portier lorsque vous insérez votre carte de crédit.
Vous choisissez alors quelques nourricubes au Canavirat puis vous allez vous asseoir sur un siège à moitié cassé. Le sol est jonché de détritus. Tout en mâchant vos fades nourricubes, vous examinez les lieux. La salle semble fréquentée par toutes sortes de criminels ; vous reconnaissez, entre autres, un couple recherché pour une dette de quelques centaines de crédits. Mais vous êtes beaucoup trop fatigué pour vous en occuper. Un peu plus loin, assise sur le rebord d'un des lits, vous remarquez une femme, qu'il vous semble avoir déjà vue, en train de nettoyer son paralysant. Elle vous regarde fixement à son tour, puis s'allonge et referme le rideau de sa couchette. Vous l'imitez. Vous gagnez 6 points d'ENDURANCE. Lorsque vous vous réveillez, la femme est justement en train de sortir du RestoSom. Allez-vous la suivre (rendez-vous au **153**) ou continuer vos recherches (rendez-vous au **142**) ?

46

Décomptez 2 unités de TEMPS. L'homme devant vous fait une cible idéale pour votre Englueur. Vous tirez rapidement. Lancez un dé : si vous obtenez entre 1 et 3, vous l'avez manqué (rendez-vous au **207**) ; si vous obtenez entre 4 et 6, vous avez réussi à faire prisonnier l'un des membres de la bande (rendez-vous au **345**).

47

Soudain, le décor change. Vous vous trouvez sur une superbe plage, le soleil se lève à l'horizon et vous savez que vous êtes riche et puissant, mais sans vous rappeler le moindre détail. Cependant, vous récupérez progressivement toutes vos facultés mentales de

Traqueur et vous comprenez en un éclair qu'il s'agit de nouveau d'un jeu d'esprit gromulan. Le paysage s'estompe alors dans l'obscurité et quatre portes apparaissent. Une voix d'origine inconnue vous annonce que trois d'entre elles conduisent à une mort certaine et qu'une seule vous permettra de retrouver la liberté. Vous devez choisir rapidement car, dans votre dos, le mur commence à chauffer fortement et à se rapprocher de vous. Les portes sont les seules issues. Chacune d'elles est marquée par une pièce d'échecs. Allez-vous choisir la porte :

Au pion ? Rendez-vous au **23**
Au cavalier ? Rendez-vous au **166**
A la tour ? Rendez-vous au **212**
Au fou ? Rendez-vous au **225**

48

Vous vous trouvez dans une pièce avec une issue bloquée au sud-est. Vous pouvez cependant sortir par l'est (rendez-vous au **331**), l'ouest (rendez-vous au **21**) ou le nord-ouest (rendez-vous au **62**).

49

Vous vous précipitez vers l'abri de droite. Le TauRobot est prêt à charger et vous attendez qu'il soit assez près pour lui planter votre banderille.

TAUROBOT HABILETÉ : 7 ENDURANCE : 12

Si le TauRobot n'a plus que 6 points d'ENDURANCE, vous l'avez touché à l'épaule et ses circuits se mettent à grésiller en produisant des étincelles et de la fumée. Vous vous précipitez alors vers l'abri. Vous cherchez partout mais vous n'apercevez aucune porte ! Vous devez tenter d'atteindre l'autre. Rendez-vous au **378**.

50

Vous vous approchez de l'Androïde en gardant les mains écartées du corps.

— Il est fou ! Ses circuits sont déconnectés ! s'exclame un des hommes.

L'Androïde sort alors rapidement son arme, puis s'immobilise brusquement dans un cliquetis d'engrenages. Décomptez 2 unités de TEMPS. Allez-vous tenter de le court-circuiter (rendez-vous au **205**) ou d'obtenir d'autres informations auprès des clients du bar (rendez-vous au **306**) ?

51

Vous êtes dans la Salle Rouge, Niveau 1. Deux portes conduisent à l'étage inférieur. Réduisez votre OXYGÈNE de 1 unité. Allez-vous prendre à gauche (rendez-vous au **97**) ou à droite (rendez-vous au **181**) ?

52

Le tir explose, vous manquant de peu, et vous vous effondrez sous le souffle de la déflagration. Tandis que le vaisseau se désintègre, touché par les missiles de défense groms, les Androïdes s'approchent de vous et vous emportent au moment où vous perdez connaissance. Rendez-vous au **322**.

53

Tentez votre Chance. Si vous êtes Chanceux, rendez-vous au **395**. Si vous êtes Malchanceux, rendez-vous au **67**.

54

Vous avez le droit de refuser. Par principe, les Traqueurs ne disent jamais quelles sont leurs cibles. Le Grom s'incline, puis sourit et vous regarde fixement

54 *Le cou du Grom s'allonge prodigieusement et sa tête s'approche à quelques centimètres de votre visage.*

sans rien dire. D'un coup d'œil rapide, vous vous rendez compte qu'il est plutôt frêle et, donc, certainement très facile à battre. A ce moment-là, son cou s'allonge prodigieusement et sa tête s'approche à quelques centimètres de votre visage. La bouche grande ouverte, garnie de longues dents pointues, il semble prêt à vous mordre ! *Testez votre Peur*. Si vous êtes effrayé, vous perdez 1 point d'ENDURANCE, mais vous pouvez retourner dans l'atmobus. Rendez-vous au **219**.

55

Vous avez coupé un des rayons de protection. L'air vibre soudain, le décor se liquéfie et se transforme. Vous vous retrouvez sur une case noire. En regardant tout autour de vous, vous apercevez d'autres cases identiques, alternant noir et blanc. Vous êtes entouré par de gigantesques pièces d'échecs. Sur la gauche, un Pion blanc se précipite dans votre direction puis s'arrête brusquement sur une case blanche tandis que, à votre droite, un Cavalier noir bondit et atterrit avec fracas sur la case noire la plus proche de vous. Bien que vous sachiez parfaitement qu'il ne s'agit que d'une illusion, vous êtes fortement impressionné. Comme le Cavalier noir vous pourchasse, vous vous précipitez vers le bord de l'échiquier. Le Cavalier s'arrête juste derrière vous. Un Pion noir vous barre le chemin. Allez-vous rester là sans bouger (rendez-vous au **129**) ou vous déplacer sur la gauche (rendez-vous au **172**) ?

56

Vous êtes dans une pièce qui possède des issues à l'est (rendez-vous au **395**) et au nord (rendez-vous au **288**).

57

Le Grom sourit, vous détaille de haut en bas et, brusquement, toutes vos molécules se désintègrent...

58

Vous vous approchez de l'Excel. Allez-vous lui demander « réparation » (rendez-vous au **15**) ou de vous dire où se trouve son cheval (rendez-vous au **214**) ?

59

Un panneau lumineux au néon « C-UB -INO » clignote sur la façade de l'immeuble, juste au-dessus de l'entrée d'une sorte de bar. Vous écartez le simple rideau de perles qui masque la porte et vous pénétrez dans une salle obscure. Un juke projette une vieille Promo galactique. Vous vous dirigez vers le distributeur et vous actionnez un bouton pour obtenir un Mangola. Tout en buvant à même le désaltube, vous jetez un coup d'œil autour de vous. Vous reconnaissez nombre de criminels qui feraient de belles prises si vous étiez d'humeur à vous en occuper. Dans le coin opposé, une bagarre éclate brusquement. Un des combattants est propulsé d'un violent coup de poing dans l'écran de projection, aussitôt suivi par Orvium qui, debout au-dessus de lui, le roue de coups de pied. Rendez-vous au **275**.

60

Vous vous glissez le long de la maison. La vedette vous tente bien mais, si elle appartient à un Grom, elle doit être bien gardée. Juste à ce moment, vous apercevez, à deux cents mètres de là, un Androïde Excel qui regarde précisément dans votre direction. Allez-vous bondir dans les buissons (rendez-vous au **164**) ou rester là où vous êtes (rendez-vous au **206**) ?

61

La femme reste à moitié allongée dans l'eau glauque. Entendant soudain un bruit, vous vous relevez et vous pivotez sur vos talons. Cinq hommes, bardés d'armes de toutes sortes, vous font face. « Felina ! » appelle l'un d'eux. Aussitôt, la femme murmure : « Tuez-le ! » Vous prenez la fuite, poursuivi par le petit groupe. Lancez trois dés : si le total obtenu est supérieur à votre ENDURANCE, vous êtes bientôt rattrapé et pris et il vous sera désormais impossible d'achever votre mission ; si le total est inférieur ou égal à votre ENDURANCE, vous parvenez à les distancer. Rendez-vous au **376**.

62

Vous vous trouvez dans un vaste hall rempli de caisses. Les issues nord et ouest sont bloquées par des décombres. Décomptez 2 unités de TEMPS. Où allez-vous maintenant :

Vers l'est ?	Rendez-vous au **139**
Vers le nord-est ?	Rendez-vous au **318**
Vers le sud-ouest ?	Rendez-vous au **21**
Vers le sud ?	Rendez-vous au **48**

Vous remarquez également un petit tunnel qui s'enfonce en direction du sud-est (rendez-vous au **82**).

63

L'Androïde est déguisé en fonctionnaire. Ce n'est pas une mauvaise idée de l'attaquer car vous connaissez parfaitement bien son type de circuits. Vous vous jetez de tout votre poids dans son dos et il s'écroule dans les buissons. Vous appuyez doucement du doigt sur un point précis derrière son oreille gauche, neutralisant immédiatement ses fonctions automatiques. Vous fouillez alors dans sa bouche et vous extirpez rapidement le Communicateur pour stopper l'émission du signal de détresse. Vous disposez de 30 secondes avant qu'il ne s'autodétruise, juste le temps de lui poser une seule question :

Où se trouve le Président ? Rendez-vous au **259**

Où sont cachées les archives secrètes des Groms ? Rendez-vous au **339**

Comment pénétrer dans le bâtiment administratif ? Rendez-vous au **281**

Que savent les Groms de ma mission ? Rendez-vous au **102**

64

En effet : 1 au cube, 2 au cube, 3 au cube, etc. L'ordinateur attend maintenant votre question. Vous tapez : « Le Président se trouve-t-il à Madrid ? » La réponse est négative. Vous demandez alors : « Où se trouve le Président ? » L'écran affiche aussitôt : « Président gardé dans la base secrète de coordonnées 169 A... », puis s'interrompt soudain. L'écran s'efface et le programme vous demande de frapper les initiales de votre nom de famille. Vous tapez alors quelques lettres au hasard. L'écran se met à clignoter rapidement et affiche en rouge : « ACCÈS INTERDIT ». Déçu, vous notez cependant la mince information que vous avez pu obtenir. Rendez-vous au **124**.

65

Vous courez le risque ! Vous appuyez sur le bouton de mise à feu en tournant vigoureusement la poignée. *Tentez votre Chance.* Si vous êtes Malchanceux, vous ne parvenez pas à lancer le réacteur de la Motofuse et Lopsti a le temps de vous atteindre d'un coup de paralysant (rendez-vous au **95**). Si vous êtes Chanceux, la moto démarre du premier coup et vous décollez rapidement (rendez-vous au **184**).

66

Vous avancez doucement dans la rue. Ici, la végétation a presque tout envahi : des branches d'arbre sortent par les fenêtres d'immeubles effondrés et l'herbe pousse anarchiquement dans les rues. Soudain, vous entendez un sourd grondement. Un gigantesque loup blanc se dresse devant vous. Vous sortez rapidement votre Englueur et vous tirez. *Tentez votre Chance*. Si vous êtes Chanceux, rendez-vous au **303**. Si vous êtes Malchanceux, rendez-vous au **355**.

67

La silhouette sombre d'une étrange créature bloque le passage. Vous distinguez de grands crocs aiguisés à l'extrémité de ses bras. Le monstre ne semble pas avoir de tête mais vous remarquez l'œil énorme qui brille au centre de son corps. Si vous préférez éviter de le combattre, rendez-vous au **85**.

SANGSUE HABILETÉ : 7 ENDURANCE : 8

Si vous êtes vainqueur, rendez-vous au **395**.

68

— D'accord ! Si on jouait avec le ComTerm de tes parents ? proposez-vous aussitôt.
— Mais je n'ai pas le droit d'y toucher ! dit la petite fille.
— Je connais un superjeu de décryptage, tu verras.
Elle se met à réfléchir intensément et grandit jusqu'à atteindre trois mètres de hauteur. Puis, lorsqu'elle reprend sa taille normale, de petites étoiles argentées encerclent sa tête.

— D'accord, dit-elle enfin.
Elle effleure brièvement un endroit précis du mur. Aussitôt, une partie du sol s'élève, le plafond s'ouvre et vous passez tous les deux à l'étage supérieur. Vous remarquez alors que la petite fille a un Communicateur attaché au poignet. Elle peut donc appeler les Gardes Excels à tout moment.
— C'est là, annonce-t-elle en désignant une porte.
— Pour jouer, il nous faudrait un Vidéomag et un Stylaser. Tu pourrais me trouver ça ?
— Oui, bien sûr ! répond la petite fille.
— Mais, attention, des vrais, pas des illusions ! insistez-vous.
— Oui ! oui ! assure-t-elle en s'éloignant.
Vous l'entendez appeler Benny, l'Androïde Maître d'Hôtel. Décomptez 2 unités de TEMPS. Sur un petit écran encastré à côté de la porte, vous voyez la suite de nombres suivante :

54 (12) 9
18 (?) 2

Découvrez le chiffre manquant et rendez-vous au paragraphe correspondant. Vous saurez alors si vous avez vu juste. Si vous ne parvenez pas à découvrir ce nombre, rendez-vous au **124**.

69

Boire ne ferait qu'obscurcir votre jugement et vous avez besoin d'avoir les idées claires pour la tâche qui vous attend. Vous perdez 1 point d'HABILETÉ. Rendez-vous au **39**.

70

Toujours accompagné de Willi, vous quittez le domaine au moment où un cercle de feu s'embrase tout autour de la maison.

— Quelqu'un a dû réactiver l'Hallucinoscope, explique Willi. Il vaut mieux nous éloigner au plus vite de cet endroit.
Quelques minutes plus tard, tout en marchant tranquillement dans une rue déserte, vous demandez à Willi ce qu'il sait du bâtiment du centre administratif.
— La Plaza de Toros est réservée aux Androïdes. Elle a été construite en sous-sol, juste sous l'arène, et fait partie du Complexe Grom. Je sais qu'il existe un moyen de pénétrer dans l'immeuble en passant par le Complexe.
En même temps que Willi parle, il se transforme petit à petit en Garde de la PolGrom. Vous devez cependant vous arrêter périodiquement pour ramasser les pièces qu'il sème autour de lui. Rendez-vous au **200**.

71

Vous vous trouvez dans une pièce qui, à en juger par l'odeur qui y règne, doit être un dépôt d'ordures groms. De nombreuses coquilles d'escargots, renfermant parfois encore le corps de l'animal en décomposition, parsèment le sol. Une fois ou deux, vous apercevez furtivement un grand Rat qui fouille dans les poubelles. Vous pouvez sortir soit par l'est (rendez-vous au **44**), soit par le sud (rendez-vous au **332**).

72

Vous montez dans l'atmobus. Tous les passagers viennent de la navette. Vous vous asseyez puis vous attachez votre ceinture ; la Flèche d'Argent s'ébranle alors dans une embardée puis décolle. La conversation de vos voisins tourne autour du prix des engins et du matériel destinés aux mines de sel,

72 *La Flèche d'Argent s'ébranle dans une embardée puis décolle.*

vous en déduisez que la plupart sont des représentants. Plus loin, à l'avant, un Grom est installé, dans la cabine réservée à la première classe, accompagné de son propre Androïde. Vous vous assoupissez doucement tandis que le Vidécran de votre siège repasse inlassablement les mêmes publicités de la Cie Galactique Ents. Décomptez 2 unités de TEMPS. Soudain, vous vous réveillez en sursaut. Vous jetez alors un rapide coup d'œil par la fenêtre : en bas, de nombreuses petites lumières clignotent. L'atmobus décélère, puis atterrit en soulevant un tourbillon de poussière. Deux Androïdes de la PolGrom montent à bord et annoncent qu'ils vont procéder à une vérification d'identité de tous les passagers. Dès qu'ils voient votre licence de Traqueur, ils vous empoignent brutalement par le bras et vous font descendre de force. Allez-vous tenter de fuir (rendez-vous au **385**) ou les accompagner sans résistance (rendez-vous au **119**) ?

73

Vous vous précipitez dans le tunnel sans vous soucier des flaques d'eau sale et de la boue. Tout en courant, vous apercevez une ou deux silhouettes sombres, puis d'autres de plus en plus nombreuses. Vous vous arrêtez soudain en comprenant qu'il s'agit de Rats géants, dont vous apercevez les gueules hérissées d'énormes crocs. Vous êtes rapidement cerné par deux douzaines de ces redoutables créatures. Vous sortez alors votre Englueur et vous tirez sur l'animal le plus proche. *Tentez votre Chance* trois fois. Chaque fois que vous serez Malchanceux, un Rat vous mordra cruellement et vous perdrez 3 points d'ENDURANCE. Un peu plus tard, vous émergez des égouts par une échelle rouillée. Juste devant vous, un véhicule de transport sur lequel est inscrit « Escargot » à côté d'un cercle barré d'une ligne horizontale, s'apprête à décoller. Allez-vous vous glisser subrepticement dans l'appareil (rendez-vous au **239**) ou retourner au terminal des atmobus Flèche d'Argent (rendez-vous au **134**) ?

74

Vous ne pouvez pas vous retenir. Sous les regards admiratifs de José et de sa bande, vous bondissez sur le criminel en luttant au corps à corps.

CRIMINEL HABILETÉ : 8 ENDURANCE : 8

Si vous êtes vainqueur, vous enveloppez le criminel de votre filoplast, vous le « marquez » puis vous partagez avec la bande les crédits que vous trouvez sur lui. Cela leur évitera de mourir de faim pendant plusieurs mois ! Vous gagnez 1 point de CHANCE. Vous descendez alors dans le puits. Rendez-vous au **114**.

75

Vous arrivez au terminal des Flèches d'Argent et vous vous précipitez pour glisser votre carte de crédit dans le distributeur de billets. En fait, il était inutile de tant vous presser car il n'y a que deux autres passagers dans l'atmobus, deux Androïdes qui bourdonnent, visiblement en pleine discussion. Vous montez dans l'atmobus, vous vous installez confortablement puis vous regardez un VidéoGuide de Rome qui vous apprend que les Gromulans croient qu'il existe un lien entre les fondateurs de Rome et leur propre race. Après avoir mangé quelques nourricubes, vous vous endormez paisiblement. Vous gagnez 3 points d'ENDURANCE. Décomptez 2 unités de TEMPS. Rendez-vous au **157**.

76

A l'approche de Paris, vous êtes automatiquement branché sur un commentaire touristique de la ville, produit par l'Office du Tourisme Galactique. Paris, ainsi vu des airs, est absolument superbe avec ses gigantesques immeubles recouverts d'une dense végétation. Vous survolez rapidement une ancienne autoroute encore encombrée des carcasses rouillées d'antiques voitures — sans doute les vestiges du plus grand embouteillage du siècle dernier, à l'époque où la Terre connaissait la plus forte densité de population de son histoire —, puis votre Flèche d'Argent se pose à l'astroport de Paris. Dès votre sortie de l'atmobus, vous êtes arrêté par deux Androïdes de la PolGrom pour avoir volé sans autorisation. Allez-vous fuir (rendez-vous au **399**) ou les suivre tranquillement (rendez-vous au **168**) ?

77

Vous courez pour tenter de vous mettre à l'abri. Cependant, vous avez beau multiplier les crochets, bondir ou louvoyer en utilisant toute votre agilité de Traqueur, un coup de paralysant vous atteint dans le dos. Bien que de faible puissance, il est pourtant suffisant pour vous immobiliser. Vous revenez vers l'hôtel dans lequel vous pénétrez. Vous perdez 1 point d'ENDURANCE. Rendez-vous au **197**.

78

En arrivant au-dessus de Paris, vous voyez une ville magnifique et superbement développée. Tandis que vous écoutez le commentaire de l'Office du Tourisme Galactique, diffusé automatiquement par les haut-parleurs du ZipCar, tout en admirant la ville, l'aéronef entame la procédure d'atterrissage programmée. Soudain, le commentaire fait place à une publicité pour le Mangola et votre ZipCar se pose. A votre descente de l'appareil, deux Androïdes de la PolGrom surgissent et vous arrêtent immédiatement pour avoir volé sans autorisation. Décomptez 2 unités de TEMPS. Rendez-vous au **314**.

79

Vous suivez la rue principale sans but précis. Puis vous vous arrêtez un instant pour observer les alentours. Rendez-vous au **117**.

80

Vous arrivez enfin au terminal de la Compagnie Flèche d'Argent. Vous n'avez pas de temps à perdre car il y a déjà beaucoup de monde. Soudain, un panneau s'allume au-dessus de la porte d'embarquement : « ATMOBUS COMPLET ». Vous vous précipitez alors vers l'Androïde qui contrôle les billets et vous lui présentez immédiatement votre carte de Traqueur. Il pousse un grand soupir puis monte dans l'atmobus. Il en redescend quelques secondes plus tard avec une vieille femme qui semble très en colère. Vous vous asseyez alors à sa place, près d'un Excel, sous les regards peu aimables des autres passagers. Vous essayez bien de vous reposer et de vous endormir mais vous en êtes empêché par les conversations à voix haute et les exclamations des nombreux Terriens installés autour de vous qui se passent, en riant, désaltubes et nourricubes. Personne ne vous offre quoi que ce soit. Décomptez 2 unités de TEMPS. Rendez-vous au **45**.

81

Vous arrachez le détecteur et le Rat se met aussitôt à tirer dans toutes les directions. Lancez deux dés. Si vous obtenez un double, il vous touche mortellement. Sinon, au bout de quelques minutes de tir ininterrompu, le Rat repart comme il était venu, tandis que vous vous rapprochez de la lumière. Vous arrivez enfin au pied d'un puits. Rendez-vous au **192**.

82

Vous pénétrez dans le tunnel et vous atteignez un peu plus tard une grande salle où donnent plusieurs cellules. Dans la dernière, vous apercevez un Androïde, allongé sur le sol, au premier stade de l'autodestruction. Vous vous précipitez et vous tombez nez à nez avec le Président : ses vêtements sont tachés, et il tient un poignard spatial dans la main. Il semble nerveux et respire péniblement. Vous tentez de le calmer. Juste à cet instant, entendant du bruit, vous vous retournez et l'Androïde Président en profite pour vous enfoncer son poignard dans le dos.

83

Un peu plus loin, vous apercevez un grand immeuble circulaire. Vous vous dirigez vers le bâtiment lorsque, soudain, vous sentez vibrer votre Chronographe programmé pour capter tout Code émis par un de vos Androïdes-Espions. Vous regardez alors tout autour de vous. Sur votre gauche, vous remarquez un Androïde qui porte de nombreux paquets dans les bras et qu'une bande de Houlgans agresse. Allez-vous aider l'Androïde (rendez-vous au **276**) ou préférez-vous rester à l'écart de l'incident (rendez-vous au **319**) ?

84

Pendant que trois des membres de la bande se débattent avec le filoplast, vous vous précipitez sur la Motofuse la plus proche, vous sautez d'un bond sur la selle, vous démarrez et vous décollez rapidement. Le tout ne vous a pris que quelques secondes. En vous retournant, vous constatez avec plaisir que personne ne vous a suivi. A ce moment précis, une grande flamme jaillit du mélangeur et le réservoir de carburant explose. Vous êtes désarçonné par la déflagration et, dans votre chute mortelle, vous vous souvenez brusquement, mais trop tard, de l'existence de l'antivol de destruction radiocommandé que l'on peut trouver « dans tous les bons magasins d'accessoires de la Galaxie ».

85

Décomptez 2 unités de TEMPS. Vous vous trouvez dans une pièce dont la sortie sud est bloquée mais qui présente une issue à l'ouest (rendez-vous au **53**) et une au nord (rendez-vous au **267**).

86

— Moi aussi, d'une certaine manière ! dit-il en se rapprochant encore un peu plus de l'atmobus.
Vous êtes bientôt rejoint par trois autres ZipCars lourdement armés. Il est évident qu'ils ont l'intention d'attaquer la Flèche d'Argent une fois qu'elle sera au-dessus des montagnes. Jetant alors un coup d'œil par-dessus l'épaule du pilote, vous remarquez

83 *Un Androïde qui porte de nombreux paquets est agressé par une bande de Houlgans.*

sur l'écran de son scanner l'Englueur caché dans votre manteau. Votre partie de cockpit est alors hermétiquement fermée en même temps que vous entendez soudain le sifflement caractéristique du gaz. Rendez-vous au **386**.

87

Vous avancez en pataugeant dans l'eau sale et la boue, dans ce qui semble être un ancien égout désaffecté. Bientôt, le tunnel se divise en deux. Allez-vous prendre la branche de gauche (rendez-vous au **372**) ou celle de droite (rendez-vous au **202**) ?

88

Vous ouvrez la petite porte et vous vous retrouvez dans un long couloir vide. Vous avancez doucement en faisant attention de ne pas couper d'éventuels rayons photoélectriques. Au bout de quelques pas, vous arrivez devant deux portes : l'une est marquée SORTIE tandis que sur l'autre est apposée une plaque où on a écrit :

ACCÈS RÉSERVÉ AUX EXCELS ET AUX MEMBRES DE LA POLGROM. ENTRÉE STRICTEMENT INTERDITE AUX AUTRES ANDROÏDES.

Par quelle porte allez-vous passer : celle marquée SORTIE (rendez-vous au **194**) ou l'autre (rendez-vous au **383**) ?

89

Vous raidissant à l'avance contre la terrible poussée des réacteurs, vous appuyez sur le démarreur. La brutale accélération de près de dix G vous plaque vigoureusement contre votre siège. Le Grom reste loin derrière vous. A cette vitesse-là, vous n'avez pas la possibilité de virer manuellement et vous devez faire confiance au pilote automatique. Alors que vous allez atteindre l'altitude maximale, vous tombez soudain en panne de carburant et les réacteurs s'éteignent. Vous avez cependant encore la possibilité de diriger l'appareil en vol plané. Vous pouvez aller vers :

La gauche	Rendez-vous au **178**
La droite	Rendez-vous au **234**
Ou tout droit	Rendez-vous au **398**

90

Vous marchez depuis quelque temps lorsque vous trébuchez. Vous poussez un juron puis, remarquant une vague inscription sur la pierre qui a failli vous faire tomber, vous vous penchez et vous écartez de la main les herbes qui la recouvrent. Vous lisez « Madrid 180 km » et une flèche indique la direction d'où vous venez. En maugréant, vous repartez alors en sens inverse. Décomptez 4 unités de TEMPS. Rendez-vous au **327**.

91

Vous vous réinstallez rapidement sur votre siège. La porte s'ouvre à ce moment précis et le Grom rentre dans la pièce, cette fois accompagné par deux Androïdes de la PolGrom. Il vous jette un nourricube et vous demande obligeamment si vous désirez vous laver. Une fois restauré et de nouveau propre, vous vous dépêchez pour attraper la Flèche d'Argent. Vous gagnez 2 points d'ENDURANCE. Décomptez 2 unités de TEMPS. Rendez-vous au **381**.

92

Vous vous approchez de la porte. Un panneau de commande présente la suite de chiffres ci-dessous :

6 9 14
8 13 20
4 5 ?

Vous disposez d'un clavier numérique pour taper le chiffre qui complétera la séquence. Souvenez-vous que les Groms sont des êtres logiques d'une grande intelligence. Si vous pensez avoir découvert le bon chiffre, rendez-vous au paragraphe correspondant. Vous saurez immédiatement si vous êtes tombé juste. Si vous ne parvenez pas à découvrir ce chiffre, rendez-vous au **169**.

93

La porte coulisse lentement. Bondissant immédiatement de côté, vous sortez votre Englueur et, dans le même mouvement, vous tirez sur le criminel de gauche. Le filoplast l'immobilise aussitôt. Le deuxième homme sort alors un désintégrateur mais vous êtes sur lui avant qu'il n'ait eu le temps d'en presser la détente.

CRIMINEL HABILETÉ : 7 ENDURANCE : 8

Si vous perdez le combat, on enferme votre cadavre dans un sac et on vous jette dans le Tibre. Si vous êtes vainqueur, rendez-vous au **138**.

94

Vous attirez doucement la chaise vers vous. Au bout de longs efforts, vous parvenez enfin à reprendre votre Chronographe. Vous avez le choix entre deux réglages : le premier cran envoie un rayon de courte portée dans toutes les directions (rendez-vous au **130**), l'autre envoie un mince rayon à grande distance dans une seule direction (rendez-vous au **187**).

95

Un des membres de la bande vous ligote solidement et vous installe sur sa Motofuse. Décollant rapidement, toute la bande se dirige ensuite dans une région désertique où elle vous abandonne. Votre mission est terminée.

96

Vous vous mettez à nager vigoureusement et, au bout de quelques minutes, vos efforts sont récompensés : vous trouvez une issue et vous remontez rapidement à la surface. Vous gagnez 2 points de CHANCE. Complètement trempé, vous examinez les alentours et vous vous apercevez que vous êtes juste en face du terminal des Flèches d'Argent. Regardant l'heure à votre Chronographe, vous vous précipitez mais vous arrivez juste au moment où l'atmobus décolle ! Cherchant désespérément autour de vous un autre aéronef, vous n'apercevez qu'un ZipCar garé dans le parc de stationnement et qui, en plus, est occupé. Allez-vous vous en approcher (rendez-vous au **154**) ou retourner dans la ville pour y chercher un autre moyen de transport (rendez-vous au **243**) ?

97

Vous êtes dans la Salle Jaune, Niveau 2. Diminuez votre OXYGÈNE de 1. Alors qu'une porte permet d'accéder à l'étage supérieur (rendez-vous au **51**), deux autres portes conduisent à l'étage inférieur, une à gauche (rendez-vous au **196**) et une à droite (rendez-vous au **146**).

98

Vous faites semblant d'entrer et l'Androïde s'éloigne rapidement. Vous revenez alors sur vos pas et vous le suivez de loin. Du coin de l'œil, vous apercevez alors trois Androïdes de la PolGrom qui sortent de l'immeuble derrière vous. Cela confirme votre intuition que l'Androïde vous a trahi. Le problème, c'est qu'il possède maintenant une VidGraphie de vous en mémoire. Vous devez absolument le détruire ! Pendant ce temps, l'Androïde se dirige vers une structure métallique toute rouillée qui ne vous semble avoir aucune utilité. Vous entendez alors des bruits d'explosion et un ZipCar, peint aux couleurs des Houlgans, passe en trombe à quelques mètres de vous. Ses canons se mettent à tirer sur l'Androïde et sur vous-même. Le premier coup atteint l'Androïde de plein fouet, quant au second... *Tentez votre Chance*. Si vous êtes Chanceux, rendez-vous au **195**. Si vous êtes Malchanceux, rendez-vous au **52**.

99

Vous vous approchez alors des deux Androïdes.
— Où puis-je trouver un moyen de transport rapide pour me rendre à la ville la plus proche, s'il vous plaît ? leur demandez-vous poliment.
— La seule navette qui fonctionne encore de temps en temps est déjà partie, répond l'un d'eux. La prochaine ne part que dans 72 heures.
Ils vous saluent et décollent rapidement dans leur appareil. Décomptez 2 unités de TEMPS. Allez-vous attendre la prochaine Flèche d'Argent (rendez-vous au **188**) ou partir à pied (rendez-vous au **283**) ?

100

Malgré tous vos efforts, vous ne parvenez pas à faire coulisser la porte. Brusquement, vous réalisez qu'il

98 *Un ZipCar, peint aux couleurs des Houlgans, passe en trombe à quelques mètres de vous.*

suffit simplement de la pousser ! Comme elle est très lourde, en bois massif, vous vous contentez de l'entrebâiller et de vous faufiler par l'étroit interstice. Vous vous trouvez dans une grande salle qui présente trois issues. Vous hésitez encore lorsque la porte du milieu s'ouvre. Entre alors un Androïde, une bouteille à la main. Allez-vous vous cacher (rendez-vous au **11**) ou l'attaquer (rendez-vous au **236**) ?

101

C'est un risque à courir. Vous ouvrez le distributeur d'un violent coup de pied et vous prenez quelques nourricubes. Comme aucun signal d'alarme ne s'est déclenché, vous pouvez manger tranquillement à votre faim. Vous gagnez 2 points d'ENDURANCE. Vous décomptez 2 unités de TEMPS. Une fois rassasié, vous retournez à l'extérieur. Rendez-vous au **291**.

102

Tandis que ses pieds commencent à se désagréger, l'Androïde vous répond d'une voix faible :
— Les Groms savent qu'il va y avoir une tentative de récupération du Président et ils connaissent également l'existence des Androïdes-Espions. Cependant, ils ignorent encore qui... Ils observent la flotte de récupération... Vous...
Il se tait brusquement, les fonctions vocales détruites. Au moment où vous vous relevez, le corps de l'Androïde a complètement fondu, laissant planer dans l'air une odeur âcre. Décomptez 2 unités de TEMPS. Rendez-vous au **31**.

103

Après avoir marché plusieurs heures dans l'épaisse forêt, vous arrivez soudain à un carrefour où la route se divise en deux : allez-vous prendre à gauche (rendez-vous au **268**) ou à droite (rendez-vous au **90**) ?

104

Vous bondissez sur la gauche mais, malheureusement, juste dans la ligne de tir d'un des canons. Touché de plein fouet, vous n'avez plus à vous soucier de votre mission.

105

Vous ne faites pas un geste lorsque la porte s'ouvre sur les deux Androïdes. Ils s'immobilisent devant vous, le doigt sur la détente de leurs paralysants. Soudain, Willi bondit à une vitesse surprenante sur le Garde de droite. A votre tour, vous passez à l'action : donnant un violent coup de pied dans le paralysant de l'autre Androïde, vous engagez la lutte au corps à corps.

GARDE
ANDROIDE HABILETÉ : 9 ENDURANCE : 10

Si vous êtes vainqueur, Willi a également réussi, de son côté, à désarmer son adversaire. Rendez-vous au **70**.

106

Vous commencez à vous éloigner pour fouiller la maison mais la petite fille vous enferme aussitôt dans une fosse à serpents. Vous êtes complètement recouvert par les reptiles : il y en a qui s'enroulent autour de vos bras, d'autres qui montent lentement sur vos jambes. Vous vous efforcez de vous persuader qu'il ne s'agit que d'une illusion. *Testez votre Peur*. Si vous êtes effrayé, vous perdez 1 point d'EN-

DURANCE. Finalement, vous capitulez et vous hurlez que vous acceptez de jouer avec elle. Rendez-vous au **68**.

107

Malgré votre victoire, les trois membres de la bande ont été des adversaires coriaces et le combat vous a épuisé. Réalisant que le parc de stationnement du petit restaurant n'est pas un endroit suffisamment sûr, Lopsti siffle alors un de ses hommes et lui ordonne de vous installer derrière une des Motofuses. Vous enfourchez péniblement la machine, puis vous attendez qu'un des membres de la bande ait fini de voler les nourricubes du distributeur qu'il vient de démolir sauvagement à coups de pied. Enfin, dans un bruit de tonnerre, toute la bande décolle, laissant derrière elle une épaisse fumée noire. Rendez-vous au **354**.

108

— Vous avez également besoin d'un moyen de transport, ajoute l'Androïde après une seconde de réflexion.

Il vous conduit alors chez Luigi Garanti qui possède un grand garage de ZipCars d'occasion. La plupart des véhicules ne sont que des épaves rouillées et à moitié démolies mais Luigi ne semble pas disposé à vous en vendre une. Il vous présente même un Vid-décret grom qui interdit la vente d'un véhicule sans autorisation spéciale. L'Androïde le prend alors à part et semble le menacer. Quelques minutes plus tard, Luigi revient vers vous avec un sourire contraint. Il consent finalement à vous vendre un ZipCar à un prix raisonnable. Vous vérifiez rapidement le plein de carburant, puis l'Androïde vous indique la direction à prendre. Vous survolez bientôt la cité, cap au nord. Rendez-vous au **224**.

109

Vous vous approchez de ce qui semble être la porte principale. Elle est ouverte.
— Il y a quelqu'un ? appelez-vous à voix haute en entrant dans la maison.
Pas de réponse ! Juste en face de vous s'ouvrent trois portes. Laquelle allez-vous prendre :

Celle de gauche ? Rendez-vous au **26**

Celle de droite ? Rendez-vous au **120**

Celle du milieu ? Rendez-vous au **361**

110

Au bout d'un moment, un Gromulan de petite taille apparaît à l'extrémité du couloir, flanqué d'un Excel de chaque côté, et passe en revue la file des criminels. Parvenu à votre hauteur, il s'arrête et sort un étrange appareil qu'il braque dans votre direction. Vous comprenez aussitôt qu'il tente de lire dans votre esprit. En tant que Traqueur, vous disposez de défenses mentales contre ce type d'engin.
— Tiens, tiens ! Un Traqueur ! dit-il d'une voix aiguë.
Les Excels vous empoignent par le bras et vous conduisent dans une petite pièce où ils vous abandonnent. Dans un coin, un ComTerm diffuse justement des images du Président. Allez-vous vous en approcher (rendez-vous au **316**) ou rester où vous êtes (rendez-vous au **296**) ?

111

Vous atteignez l'abri au moment précis où le TauRobot plante ses cornes dans le plastique dur. Regardant autour de vous, vous apercevez deux courtes banderilles, armées de pointes neutroniques. Vous êtes presque sûr qu'il existe une entrée derrière l'un des trois refuges de l'arène. Seulement, il va falloir que vous vous y rendiez en essayant d'éviter les assauts furieux du TauRobot. Prenant une banderille dans chaque main, vous bondissez de votre cachette. Allez-vous d'abord vous diriger vers l'abri de gauche (rendez-vous au **378**) ou bien vers celui de droite (rendez-vous au **49**) ?

112

La porte s'ouvre lentement sur une pièce sombre puis se referme derrière vous dans un discret chuintement. Vous avez été pris au Piège Temporel de Mœbius. Le temps ne signifie plus rien pour vous et les secondes vous semblent durer des années. Vous n'avez aucune chance de vous en sortir.

113

Vous virez rapidement, puis vous plongez en piqué et vous revenez brusquement sur les Groms. Seulement, vous avez beau actionner la commande de tir, rien ne se produit. Les canons refusent de fonctionner et le ZipCar ne dispose pas de système de tir automatique comme votre vaisseau d'Obéron. Bientôt touché par les tirs précis des Groms, vous perdez brutalement le contrôle du GT III. La chute mortelle est interminable.

114

Vous êtes dans un tunnel sombre et humide, parcouru par de nombreuses canalisations. Décomptez 2 unités de TEMPS. Vous commencez à avancer dans le tunnel vers une vague lumière que vous avez aperçue au loin lorsque vous entendez soudain des crépitements et des grésillements bizarres dans votre dos. Vous vous retournez brusquement, prêt à vous battre. Deux yeux rouges s'approchent lentement : ce n'est qu'un RépaRat qui, dans sa tournée d'entretien des égouts, fait les quelques soudures nécessaires aux joints des conduites. Vous savez que ces robots sont équipés de désintégrateurs dont ils se servent pour pulvériser les détritus ou déboucher éventuellement les tuyaux. Allez-vous le laisser passer sans bouger (rendez-vous au **28**) ou vous mettre à courir vers l'autre extrémité du tunnel (rendez-vous au **289**) ?

115

Vous enfilez lentement les gants puis, faisant le vide dans votre esprit, vous passez à l'attaque.

GIGANTIAN HABILETÉ : 10 ENDURANCE : 12

Si vous êtes vainqueur, rendez-vous au **16**.

116

Tentez votre Chance. Si vous êtes Chanceux, rendez-vous au **336**. Si vous êtes Malchanceux, rendez-vous au **374**.

117

Voyant deux Gardes s'approcher, vous tournez rapidement le coin d'une rue et vous vous dirigez vers l'ouest en marchant le long d'une large avenue. Un peu plus loin, parvenu à un carrefour, vous tombez sur un petit marché en plein air. Au milieu de la foule des Terriens, vous distinguez quelques Félines de Wista 4. Une enseigne lumineuse, plantée à l'angle d'un immeuble, indique : « RESTOSOM ». Une flèche pointe vers le sous-sol. Vous sentez que vous allez bientôt avoir besoin d'un peu de repos. Allez-vous descendre dans le RestoSom (rendez-vous au

228) ou poursuivre votre quête (rendez-vous au **324**) ?

118

Vous poursuivez votre vol vers Londres et, bientôt, vous survolez un petit bras de mer. Soudain, un rayon laser tiré de la côte atteint votre appareil qui s'embrase immédiatement. Vous mourez brûlé vif. Votre aventure s'achève ici.

119

Les deux Androïdes de la PolGrom vous font monter sans ménagements dans leur véhicule et vous amènent devant leur chef. Celui-ci reste assis et vous observe longuement et très attentivement.
— Qui traquez-vous en ce moment ? vous demande enfin le Grom.
Allez-vous lui donner un nom (rendez-vous au **312**) ou refuser de parler (rendez-vous au **54**) ?

120

La porte se referme silencieusement dans votre dos. Au centre de la pièce, vous remarquez une armure spatiale qui remonte vraisemblablement au début du XXIe siècle. Vous faites un pas en avant et elle s'anime soudain, saisit une épée neutronique et cingle l'air agressivement dans votre direction. Vous vous jetez rapidement sur la gauche. La lame neutronique de l'épée s'abat violemment sur une table métallique qu'elle fracasse dans un éclair bleuté. Il ne s'agit pas d'une illusion ! Apercevant alors une panoplie d'épées neutroniques sur le mur, vous en choisissez une rapidement et vous commencez à vous défendre vaillamment.

ANDROIDE
GUERRIER HABILETÉ : 9 ENDURANCE : 12

120 *L'armure saisit une épée neutronique et cingle l'air agressivement dans votre direction.*

Décomptez 2 unités de TEMPS. Si vous perdez, rendez-vous au **201**. Si vous êtes vainqueur, rendez-vous au **340**.

121

Vous dissimulez Lopsti dans un coin de sous-sol et vous lui attachez un émetteur au poignet pour permettre à l'AutoTraqueur de le retrouver un peu plus tard, puis vous le recouvrez de sacs. Lopsti se met aussitôt à ronfler. De retour dans le restaurant, tous les regards, ceux des Androïdes compris, sont braqués sur vous. Tous connaissent maintenant votre profession.
— Alors, demande brusquement quelqu'un dans votre dos, vous l'avez eu ?
Vous vous retournez lentement. L'homme qui vous a interpellé est assez grand et porte un polo marqué « Julio ». Allez-vous lui répondre et bavarder avec lui (rendez-vous au **232**) ou l'ignorer et reprendre votre petit déjeuner interrompu (rendez-vous au **335**) ?

122

Le Grom vous regarde de travers. Ses joues se gonflent et rougissent, puis il disparaît brusquement. La pièce est soudain plongée dans le noir et vous avez l'impression que tout tourne autour de vous. Vous perdez bientôt conscience. Rendez-vous au **249**.

123

L'Excel avance posément vers le palais et en franchit tranquillement les portes. De nombreux Gardes patrouillent alentour. Soudain, l'un d'eux vous aperçoit et s'approche. Allez-vous faire aussitôt demi-tour (rendez-vous au **179**) ou tenter de parler au Garde (rendez-vous au **304**) ?

124

Brusquement, une sirène se met à retentir, accompagnée de bruyants bips sonores. Votre manœuvre a déclenché une alarme ! La petite fille réapparaît tout à coup, un Vidéomag à la main, mais vous êtes déjà sur la terrasse. Vous descendez précipitamment. La petite fille, accompagnée d'une sorte de gros ballon rouge où vous distinguez vaguement un visage, vous fait des signes de la main. Vous la perdez bientôt de vue. Arrivé en bas, vous apercevez un Excel qui s'approche de l'entrée principale de l'immeuble et vous partez dans la direction opposée. Vous traversez plusieurs pièces, toujours en courant, puis vous franchissez d'un bond une fenêtre ouverte. Vous vous précipitez alors vers le mur d'enceinte sans plus penser aux faisceaux de détection. Rendez-vous au **55**.

125

Vous bondissez par-dessus les caisses d'emballage puis vous donnez un violent coup de pied dans la grille de plastique qui obture la fenêtre. Au moment où vous vous élancez pour sauter, un rayon paralysant vous atteint dans le dos et vous immobilise aussitôt. Désormais incapable de bouger, vous n'avez plus aucune chance d'accomplir votre mission.

126

Vous vous installez devant l'ordinateur. Vous savez que les Groms utilisent le langage « L », aussi appelez-vous directement le répertoire des fichiers en demandant un affichage digital. Un message s'inscrit alors sur l'écran, vous demandant de composer le mot de passe en vous accordant 5 secondes pour le taper. Vous appuyez sur un bouton au hasard et l'écran se met aussitôt à s'illuminer en affichant en grosses lettres rouges : « CLÉ D'ACCÈS NON

RECONNUE. ATTENTION : TENTATIVE DE PIRATAGE ». Une sirène aiguë se déclenche aussitôt. Par la fenêtre, vous voyez le Grom qui se précipite, accompagné de nombreux Androïdes. De rage, vous donnez un violent coup de pied dans les circuits de l'IPX. L'écran principal s'éteint brusquement, aussitôt remplacé par un écran de secours. Cependant, le message accusateur a disparu. Rendez-vous au **91**.

127

Vous avez vu juste : il suffisait d'additionner et de soustraire alternativement 3, 9, 27, 81 — tous multiples de 3. Un menu présentant différentes options est maintenant affiché sur l'écran. Vous choisissez l'option « Informations récentes » et vous passez à un sous-menu dont une des rubriques concerne le Président Galactique. C'est bien sûr celle-là que vous sélectionnez. « Précisez l'information recherchée », vous demande alors l'ordinateur. Vous tapez aussitôt : « Où se trouve le Président ? » La réponse ne tarde pas : « Sujet non enregistré à la base de Madrid ». Vous examinez attentivement l'indicatif de l'émetteur de l'information et vous distinguez alors un cercle barré d'une ligne horizontale. Vous ne connaissez pas ce sigle. Malgré tout, vous savez maintenant que le Président n'est pas à Madrid et que vous devez poursuivre ailleurs vos recherches. Rendez-vous au **169**.

128

Comme vous êtes resté totalement immobile, ses fonctions automatiques de recherche-élimination se sont immédiatement déconnectées. L'Androïde s'approche alors de vous, ayant compris que la dissimulation ne sert plus à rien. Dans de telles circonstances, il est programmé pour désactiver tous

ses enregistreurs. Vous émettez rapidement le Code et l'Androïde réagit aussitôt.
— Les Houlgans ont endommagé mes circuits, vous explique-t-il. Je ne peux plus prétendre être un simple Androïde de service.
Soudain, ses rouages se coincent et il tombe brusquement par terre. Vous comprenez qu'il est très sérieusement touché. Vous ouvrez alors une de ses trappes latérales et vous examinez soigneusement ses circuits internes. Vous n'avez que deux liaisons à rétablir mais vous devez agir rapidement avant que le mécanisme d'autodestruction ne s'enclenche. Décomptez 2 unités de TEMPS. Allez-vous choisir le circuit de gauche (rendez-vous au **233**) ou celui de droite (rendez-vous au **375**) ?

129

Le Cavalier noir bondit sur la case de gauche à la manière de la pièce d'échecs qu'il représente. Vous avez eu raison de ne pas bouger. Vous vous écartez d'un bond, vous sautez de l'échiquier puis vous vous éloignez rapidement. L'illusion disparaissant progressivement, vous vous retrouvez bientôt dans la rue. Vous regardez autour de vous : il n'y a personne ! Vous courez vous réfugier dans une ruelle en apercevant soudain deux appareils de patrouille de la PolGrom qui passent au-dessus de vous et atterrissent dans l'enceinte de l'hacienda. Brusquement, en regardant l'heure à votre Chronographe, vous réalisez que la Flèche d'Argent doit bientôt décoller. Vous vous précipitez pour tenter de la rejoindre à temps. Rendez-vous au **80**.

130

Vous entendez soudain un grand bruit sur votre gauche. Vous vous retournez vivement pour découvrir la jeune femme que vous aviez déjà rencontrée à Rome. Tenant fermement son Englueur à la main, elle finit de ligoter le guetteur de la bande, puis elle se précipite vers vous et vous délivre sans prononcer un mot. En sortant de l'immeuble, vous tombez sur un autre membre de la bande qui est, lui, englué dans un filoplast. Vous longez un gros véhicule industriel sur lequel est écrit « Escargot » et vous suivez la jeune femme jusqu'à un petit bar où elle vous offre un stimulant caféiné. Si vous ne lui avez pas parlé auparavant, elle se présente sous le nom d'Arana, et vous dit être, elle aussi, un Traqueur.

— ... Mais, en ce moment, je suis payée par les Groms pour retrouver des microprogrammes volés, vous explique-t-elle. Je suivais des fugitifs que j'avais repérés à Rome lorsque j'ai intercepté votre signal en passant devant l'entrepôt. Bon, maintenant, il faut que je me dépêche de les rattraper. A un de ces jours !

Elle vous indique cependant la direction des deux bases groms. Allez-vous vous diriger vers celle du nord (rendez-vous au **356**) ou celle du sud (rendez-vous au **204**).

131

Vous pénétrez dans une pièce qui semble avoir été construite quatre cents ans plus tôt. Tout s'écroule et les grandes dalles de béton du plafond tombent au hasard tout près de vous. Lancez un dé : le chiffre obtenu indique votre position. Lancez un deuxième dé pour déterminer l'endroit où s'écrasent les dalles. Si les deux chiffres sont identiques, vous recevez une plaque sur la tête et vous mourez écrasé. Recommencez l'opération quatre fois de suite. Si, au bout des quatre fois, vous n'avez pas été touché, vous avez réussi à traverser la pièce. Bien que les issues sud et nord-ouest soient bloquées, il existe une sortie à l'est (rendez-vous au **353**) et une à l'ouest (rendez-vous au **44**).

132

Votre nouveau compagnon entraîne sa bande à l'écart et lui raconte toute l'histoire. Vous lui expliquez ensuite que vous êtes un Traqueur et que vous travaillez contre les Groms. La petite bande semble haïr les Groms autant que leurs rivaux Houlgans. Finalement, vous entrez tous dans le bar où vous commandez des mets aux noms bizarres. Lorsqu'on les a servis, vous vous rendez compte qu'il ne s'agit pas de nourricubes mais de petites créatures marines, confites dans des grains jaunes. Craignant d'être malade, vous hésitez à en manger mais l'odeur que dégagent les plats est si bonne que vous ne résistez pas longtemps à la tentation d'y goûter. Finalement, cette nourriture se révèle bien meilleure que les nourricubes que vous préparait votre mère. Vous gagnez 3 points d'ENDURANCE. Rendez-vous au **315**.

133

L'atterrissage est désastreux. Les deux jambes brisées, vous êtes totalement réduit à l'impuissance. Les Groms, vous ayant détecté, se posent rapidement et vous font prisonnier. De toute façon, vous n'auriez pas été guéri à temps pour achever votre mission...

134

Alors que vous approchez du terminal des Flèches d'Argent, vous reconnaissez soudain un véhicule de patrouille de la PolGrom arrêté devant l'astroport. Au-dessus de l'entrée, un panneau clignotant annonce : « Tous les départs annulés ». Vous faites aussitôt demi-tour. A ce moment, vous vous apercevez que les Vidécrans ont cessé la diffusion des publicités pour les remplacer par une photo... la vôtre ! Vous vous apprêtez à retourner vers le véhicule de transport que vous aviez vu tout à l'heure lorsque vous passez devant un autre appareil en cours de ravitaillement. Il est également chargé de caisses, toutes marquées du cercle barré d'une ligne horizontale. Allez-vous tenter de monter dans cet appareil (rendez-vous au **245**) ou retourner à l'autre (rendez-vous au **239**) ?

135

L'Androïde s'approche de l'immeuble. Vous redoublez d'attention lorsque vous le voyez se diriger vers l'un des Gardes et lui glisser quelques mots. Le Garde sort aussitôt son paralysant et regarde fixement dans votre direction. Vous vous rappelez brusquement que certains Androïdes sont équipés de détecteurs qui leur permettent de savoir si quelqu'un les suit. Vous plongez rapidement dans les buissons. Un arbre se désintègre à quelques mètres de vous et vous apercevez brusquement un appareil de la PolGrom qui fonce dans votre direction en faisant feu de tous ses canons. Soudain, malgré le fracas des armes et les sifflements des réacteurs, vous entendez une voix métallique qui vous intime l'ordre de rester où vous êtes. Allez-vous obéir (rendez-vous au **30**) ou, risquant le tout pour le tout, vous mettre à fuir (rendez-vous au **244**) ?

136

Au bout de quelques minutes de marche, la route est si obstruée que vous perdez tout sens de l'orientation. Vous voyez alors un Grom qui vous tourne le dos. Il vient d'attraper un petit escargot qu'il est en train de se mettre dans l'oreille gauche tandis que, dans l'autre, un bout de coquille dépasse encore. Vous décidez de courir le risque et de vous approcher du Grom pour lui demander votre chemin. Comme il ne vous entend pas — puisqu'il a un escargot dans chaque oreille — vous lui tapez sur l'épaule. Deux Gardes surgissent alors et vous empoignent rapidement par le bras tandis que le Grom, très nerveux, se retourne vivement et crie d'une voix aiguë que vous êtes en état d'arrestation pour avoir osé toucher un Gromulan. Puis, vous abandonnant aux mains des Androïdes, il s'éloigne, titubant encore sous l'émotion que vous lui avez faite. Allez-vous vous débattre (rendez-vous au **399**) ou suivre les Gardes sans résister (rendez-vous au **168**) ?

137

Vous réalisez alors seulement l'erreur que vous avez commise en volant cet appareil. En effet, vous avez révélé votre identité et le but de votre mission, et les informations de votre CI de Traqueur sont maintenant enregistrées dans l'ordinateur central IPX. Entendant un bruit de réacteurs, vous levez les yeux et vous voyez trois appareils décoller, puis disparaître au loin. Vous supposez que les Groms pensent que vous avez péri dans l'accident. Vous détruisez alors votre CI originelle et vous en recomposez une nouvelle sur votre Chronographe, espérant qu'il n'existe aucune VidGraphie de votre visage. Vous dévalez une pente et vous arrivez au bord d'une piste orientée nord-sud. Allez-vous marcher vers le nord (rendez-vous au **363**) ou vers le sud (rendez-vous au **256**) ?

138

Vous aimeriez poser quelques questions aux deux criminels mais ils parlent un dialecte que votre Transcodeur ne parvient pas à traduire. Vous vous contentez alors de les cacher dans un coin pour pouvoir les reprendre plus tard, puis vous redescendez au rez-de-chaussée. Décomptez 2 unités de TEMPS. Rendez-vous au **295**.

139

La pièce dans laquelle vous êtes entré est bloquée à l'est mais présente des issues au sud (rendez-vous au **331**) et à l'ouest (rendez-vous au **62**). Vous remarquez également, au nord, un passage qui descend, à moitié envahi par les eaux. D'étranges poissons pirayas remontent parfois à la surface et se mordent férocement les uns les autres. Si vous désirez cependant emprunter cette issue, rendez-vous au **384**.

140

Vous allez devoir sauter d'immeuble en immeuble. Lancez deux dés et faites le total : vous obtenez la première distance à franchir. Lancez ensuite un dé et ajoutez le résultat obtenu à votre total d'ENDURANCE : cela indique la valeur de votre premier saut. Si votre bond est supérieur ou égal à la distance à franchir, vous avez réussi à passer sur le toit de l'immeuble suivant. Répétez l'opération trois fois de suite. Si jamais la distance à franchir est plus grande que votre saut, vous vous écrasez au pied du bâtiment. Si vous réussissez les trois sauts, vous perdez

2 points d'ENDURANCE mais vous arrivez sain et sauf sur le toit du quatrième immeuble. De là, vous parvenez facilement à redescendre dans la rue. Rendez-vous au **79**.

141

Vous le laissez gagner en prenant bien garde de ne pas révéler votre identité de Traqueur par votre manière de combattre. Plutôt fier d'avoir battu chacun des membres de sa bande, il vous accepte finalement dans le groupe.

— Maintenant que tu es des nôtres, annonce-t-il en vous donnant une bonne claque dans le dos, il va falloir passer encore par une petite épreuve : l'hacienda, tu connais ? Il y a pas mal de choses à y prendre ! C'est la résidence d'un important personnage grom.

En fait, bien que la Terre soit un refuge contre les AutoTraqueurs, il semble difficile d'y vivre normalement. On vous attribue parcimonieusement quelques nourricubes que vous consommez aussitôt. Vous gagnez 1 point d'ENDURANCE. Quelques minutes plus tard, un guide et un conseiller vous accompagnent par les égouts jusqu'à l'hacienda. Rendez-vous au **273**.

142

Après avoir circulé dans un labyrinthe de ruelles étroites, vous tombez sur un marché en plein air. Les nourricubes semblent être la principale marchandise. Dans la foule des clients, vous remarquez quelques Félines de Wista 4. Soudain, le Code de votre Chronographe se déclenche lorsqu'un Androïde, un paquet sous le bras, vous frôle. Vous le suivez alors prudemment, bien que vous sachiez que vous perdez là un temps précieux. Décomptez 2 unités de TEMPS.

142 *Dans la foule des clients, vous remarquez quelques Félines de Wista 4.*

Allez-vous aborder l'Androïde (rendez-vous au **198**) ou, décidant finalement de ne pas vous fier à lui, poursuivre seul (rendez-vous au **221**) ?

143

Vous avez raison d'être méfiant. En effet, l'appareil est un ZipCar Pirate camouflé. Heureusement, si votre engin n'est pas beaucoup plus rapide que lui, vous disposez cependant de canons. Vous combattez de la même manière que d'habitude, toutefois vous n'avez pas à réduire votre ENDURANCE car seul votre appareil subit des dommages. Utilisez la case SPÉCIALE de votre *Feuille d'Aventure* pour ce combat.

ZIPCAR PIRATE HABILETÉ : 7 ENDURANCE : 8

Si vous perdez, après que votre appareil se fut écrasé au sol — heureusement, vous n'avez rien ! — vous découvrez un sentier qui semble conduire à la ville (rendez-vous au **3**). Si vous êtes vainqueur, rendez-vous au **302**.

144

Vous êtes dans la Salle Blanche, Niveau 3. Réduisez votre OXYGÈNE de 1 unité. Une porte permet d'accéder à l'étage supérieur (rendez-vous au **181**) et deux autres conduisent à l'étage inférieur, une à gauche (rendez-vous au **352**) et une à droite (rendez-vous au **284**).

145

Quelques minutes plus tard, vous voyez l'atmobus décoller. Cette attente commence à vous peser, aussi vous mettez-vous à la recherche d'un responsable en vous promenant dans les couloirs de l'astroport. Voyant une porte ouverte marquée « Privé », vous entrez. Le bureau est vide. Vous ramassez machinalement une lettre à en-tête de la compagnie Locafuse et vous apprenez que son service de location a été supprimé en raison du faible nombre de demandes. Vous êtes furieux. Vous vous apprêtez à ressortir lorsque, par une petite fenêtre, vous apercevez le RoboNet qui vient dans votre direction. Puis, soudain, deux Androïdes de la PolGrom surgissent et lui barrent le chemin. Tout à coup, de la fumée se dégage de sa tête. Les circuits du RoboNet commencent à fondre. Il s'autodétruit, et vous comprenez aussitôt qu'il devait probablement être un de vos contacts ! Rendez-vous au **99**.

146

Vous vous trouvez dans la Salle Violette, Niveau 3. Réduisez votre OXYGÈNE de 1 unité. Une porte vous permet d'accéder à l'étage supérieur (rendez-vous au **97**) tandis qu'une autre conduit à l'étage inférieur (rendez-vous au **377**).

147

En effet, vous avez compris que leur offrir quelques crédits serait le meilleur moyen d'obtenir leur aide. Tandis que vous fouillez dans toutes vos cartes, le plus petit de la bande se précipite sur vous et vous les arrache des mains. Vous sortez votre Englueur en un éclair et ils s'éparpillent aussitôt dans toutes les directions. Vous visez soigneusement le voleur. Lancez un dé. Si vous obtenez 3 ou moins, votre arme s'enraye (rendez-vous au **231**). Si vous obtenez 4 ou plus, vous réussissez à engluer votre voleur dans le filoplast (rendez-vous au **345**).

148

Des sirènes d'alarme résonnent au loin et vous vous trouvez maintenant devant une épaisse porte métallique. Vous ne voyez aucun moyen de la franchir. Tout à coup, à cinquante mètres derrière vous, une autre porte se referme brusquement, et vous sentez alors que l'air commence à s'échapper du tunnel. Privé d'oxygène, vous mourez étouffé, ayant échoué dans votre mission.

149

Le tapis roulant se déplace assez rapidement. Bientôt, les murs de pierre du tunnel sont remplacés par des parois métalliques. Vous estimez être à proximité du centre-ville lorsque vous apercevez soudain des lumières qui brillent devant vous : celles d'une gigantesque machine que conduisent plusieurs Androïdes. Vous sautez à bas du tapis roulant et vous continuez prudemment à pied. Il ne semble pas y avoir de Gardes. Ces Androïdes étant des robots « dédiés » restent absolument sourds et aveugles à tout ce qui ne concerne pas le travail pour lequel ils ont été programmés. Décomptez 2 unités de TEMPS. Un peu plus loin, vous arrivez au pied de deux échelles. Allez-vous emprunter celle de gauche (rendez-vous au **344**) ou celle de droite (rendez-vous au **329**) ?

150

Vous vérifiez rapidement l'état du moteur et le niveau de carburant, puis vous refermez le capot et vous ouvrez la verrière d'Altuglas du poste de pilotage. L'intérieur du ZipCar est rempli à ras bord d'une sorte de boue épaisse et rougeâtre qui bouillonne doucement. Vous vous penchez un peu plus et, tout à coup, quatre mains aux griffes sanguinolantes émergent du répugnant magma et se tendent vers vous. *Testez votre Peur*. Si vous êtes effrayé, vous perdez 1 point d'ENDURANCE. Décomptez 2 unités de TEMPS et rendez-vous au **261**.

151

Arana vous a fort bien renseigné. L'avenue est assez large et de nombreux Groms s'y promènent tranquillement à petits pas mais toujours accompagnés de Gardes qui s'efforcent de marcher suffisamment lentement pour rester à leur hauteur. Le Roxyrama est une ancienne VidSalle construite peu avant la commercialisation de l'Halluvision 70, à une époque où les spectacles de 3D devaient avoir lieu dans des salles conçues spécialement à cet effet. La VidSalle a l'air fermée lorsque vous arrivez mais vous en poussez sans hésiter la grille métallique et vous pénétrez à l'intérieur. Décomptez 2 unités de TEMPS. Allez-vous suivre le couloir (rendez-vous au **295**) ou monter l'escalier (rendez-vous au **362**) ?

152

L'Androïde sort de l'astroport sans se presser. Vous lui laissez cinq minutes d'avance, puis vous allez à la fenêtre et vous jetez un coup d'œil prudent à l'extérieur. Bien vous en a pris car l'Androïde est justement en train de discuter avec deux Androïdes de la PolGrom. Vous avez la nette impression que votre contact vous a trahi. Heureusement que les Androïdes-Espions ne vous connaissent pas. En le voyant repartir, vous remarquez qu'il garde un doigt sur la détente de son paralysant en passant près d'un groupe de Houlgans en train de démolir à coups de pied un distributeur de nourricubes. Allez-vous suivre l'Androïde (rendez-vous au **238**) ou vous approcher des Houlgans (rendez-vous au **29**) ?

153

La jeune femme marche très vite et vous avez l'impression qu'elle sait que vous la suivez. Rome est plus animée que Madrid et on y rencontre plus de Terriens. Vous la suivez en calquant votre allure sur la sienne mais vous êtes soudain arrêté par la poigne vigoureuse d'un Androïde de la PolGrom qui veut contrôler votre CI. Comme vous n'avez pas le choix, vous obéissez en pestant intérieurement à cause du temps perdu. *Tentez votre Chance*. Si vous êtes Chanceux, vous parvenez à rattraper la jeune femme (rendez-vous au **298**). Si vous êtes Malchanceux, vous avez perdu sa trace (rendez-vous au **221**).

154

Le conducteur du ZipCar semble assez peu aimable. En jetant un rapide coup d'œil à l'intérieur de l'appareil, vous constatez qu'il est équipé de plusieurs canons. Vous vous approchez en souriant.

— Excusez-moi, mais iriez-vous vers le nord ? lui demandez-vous. Si vous pouviez m'emmener...

Il vous examine des pieds à la tête, puis accepte d'un haussement d'épaules.

— Montez derrière, grommelle-t-il.

Vous vous installez derrière lui et il décolle aussitôt en adoptant une allure modérée. Vous apercevez au loin l'atmobus Flèche d'Argent qui vous précède.

— Qu'est-ce que vous faites comme métier ? demande soudain votre conducteur.

Allez-vous lui dire la vérité (rendez-vous au **247**) ou lui raconter que vous êtes un simple commerçant (rendez-vous au **86**) ?

155

Le missile frappe le Dragon de plein fouet et explose dans une formidable déflagration. Vous avez eu raison de ne pas vous fier aux Groms, car il s'agissait bien d'une fusée photonique, camouflée grâce à l'Hallucinoscope dont elle était équipée. Le croiseur reprend alors de l'altitude et rejoint rapidement la flotte galactique. Rendez-vous au **400**.

156

Vous échappez de peu au premier coup de canon mais le souffle de l'explosion est si violent que vous trébuchez. Vous vous jetez alors dans un immeuble à moitié détruit, de l'autre côté de la rue. L'appareil gromulan refait un passage et tire à coups redoublés. Soudain, le sol se dérobe sous vos pieds et vous perdez brutalement connaissance. Rendez-vous au **313**.

157

Vous vous réveillez brusquement pour vous apercevoir que vous êtes tombé de votre siège. Une sirène d'alarme se déclenche. Par la fenêtre, vous apercevez alors quatre aéronefs Pirates qui attaquent l'atmobus. Vous entendez le pilote demander de l'aide à la radio tandis que les deux Androïdes se mettent rapidement en position de défense, prêts à tirer. Vous les imitez et vous vous mettez aux commandes d'une tourelle de tir. Vous visez soigneusement et vous lâchez une longue rafale. Le combat se déroule comme d'habitude mais vous devez utiliser la case SPÉCIALE de votre *Feuille d'Aventure*. Vous ne perdez aucun point d'ENDURANCE en cas de défaite.

	HABILETÉ	ENDURANCE
Premier PIRATE	9	8
Second PIRATE	9	10

Si vous perdez, rendez-vous au **269**. Si vous êtes vainqueur, rendez-vous au **227**.

157 *Vous apercevez quatre aéronefs Pirates qui attaquent l'atmobus.*

158

Vous vous trouvez dans l'atelier de soudure. La chaîne de montage passe, à vitesse réduite, à travers six pièces successives où les Androïdes sont soudés par des rayons lasers. Vous ne pouvez plus faire demi-tour. Il ne vous reste plus qu'à franchir les six pièces pour atteindre l'autre issue. Lancez un dé pour chaque pièce. Si le chiffre obtenu correspond à la pièce traversée, vous êtes touché par un rayon et trop grièvement brûlé pour pouvoir achever votre mission. Si vous survivez, rendez-vous au **348**.

159

Un arrêt est prévu pour le petit déjeuner. L'atmobus Flèche d'Argent se pose bientôt à proximité d'un petit restaurant qui n'a rien d'une station-service galactique. Au contraire, un panneau annonce fièrement : « Chez Julio : cuisine terrienne originale ». Vous suivez les autres passagers à l'intérieur. Vous avez le choix entre de nombreuses variétés de nourricubes et de désaltubes. Vous vous servez rapidement. Soudain, alors que vous vous débattez avec le bouchon récalcitrant d'un désaltube, vous vous trouvez face à face avec Kinta Lopsti, un criminel que vous aviez arrêté quelque temps auparavant et qui s'est évadé. Lopsti, vous reconnaissant immédiatement, se précipite vers la sortie. Allez-vous lui courir après (rendez-vous au **299**) ou le laisser s'enfuir (rendez-vous au **17**) ?

160

Décomptez 2 unités de TEMPS. La porte s'ouvre lentement et vous découvrez un Androïde assis devant un ComTerm. A votre entrée, il se retourne brusquement et lève son paralysant dans votre direction.

Vous l'attaquez immédiatement et, d'un coup de pied bien ajusté, vous lui faites sauter l'arme des mains.

TECHNICIEN HABILETÉ : 6 ENDURANCE : 8

Si vous êtes vainqueur, rendez-vous au **317**.

161

Tout le monde vous félicite et vous remercie de votre aide. Vous en profitez pour demander à la serveuse si vous pouvez emprunter le ZipCar GT I.
— Oui, bien sûr ! Prenez-le et laissez-le au parc de stationnement du terminal des Flèches d'Argent. Un de mes parents viendra le reprendre.
Elle vous donne les clés et ajoute même quelques nourricubes. Vous gagnez 1 point d'ENDURANCE. Rendez-vous au **280**.

162

Toujours pourchassé par le petit groupe, vous continuez à courir dans le tunnel, le bas de vos vêtements complètement trempé d'éclaboussures. Au bout d'un moment, vous vous arrêtez pour souffler un peu et vous vous apercevez soudain que vos poursuivants se sont immobilisés et qu'ils fixent un point dans l'obscurité derrière vous en ricanant sadiquement. Vous suivez la direction de leur regard et vous voyez alors les feux clignotants d'un Dératiseur. L'engin avance doucement dans le tunnel en désintégrant tout ce qui bouge. Faisant aussitôt demi-tour, vous découvrez avec soulagement que les autres en ont déjà fait autant et qu'ils ont disparu. Revenu à la fourche, vous prenez cette fois le tunnel de droite. Rendez-vous au **73**.

163

Vous vous installez rapidement devant le pupitre de commande et vous décollez à vive allure. L'engin s'élève, et vous vous plaquez contre le siège moelleux, les pieds collés au sol, pour lutter contre la formidable poussée des réacteurs. Vous êtes déjà assez haut lorsque vous remarquez soudain une petite lumière qui clignote furieusement sur le tableau de contrôle. Vous comprenez aussitôt que vous auriez dû faire le plein de carburant ! Vous avez oublié qu'on ne trouve pas de phozon sur Terre et qu'on utilise encore ici des carburants liquides. L'appareil perd brutalement de la puissance et descend en piqué. Sans hésiter, vous appuyez sur le bouton d'éjection automatique en priant pour que le système fonctionne correctement. *Tentez votre Chance.* Si vous êtes Malchanceux, rendez-vous au **191**. Si vous êtes Chanceux, rendez-vous au **222**.

164

Au moment précis où vous bondissez vers les buissons, vous êtes touché en pleine poitrine par un rayon paralysant. Vous n'êtes qu'étourdi mais vous vous rendez compte que vous avez affaire à un Androïde Excel de la meilleure qualité. Vous chancelez sous le choc et l'Excel s'abat sur vous. Vous ne savez pas très bien comment il a fait, mais il réussi à parcourir près de deux cents mètres en quelques secondes. Rendez-vous au **366**.

s'écroule lentement, environné des fumées âcres l'autodestruction. L'autre Excel a perdu son bras droit. En voulant vous frapper ensemble, ils se sont mutuellement touchés ! L'Androïde restant, furieux, s'approche alors de vous.

EXCEL
MANCHOT HABILETÉ : 4 ENDURANCE : 4

Si vous n'en venez pas rapidement à bout, c'est que vous êtes vraiment un piètre Traqueur ! Si vous êtes vainqueur, rendez-vous au **328**.

167

L'immeuble est assez luxueux. Ne voyant personne alentour, vous vous glissez prudemment dans le jardin. Juste à ce moment, un souffle de vent soulève la poussière et vous fait découvrir les rayons photoélectriques qui quadrillent la zone. Vous avancez très doucement car les rayons se déclenchent au hasard. Décomptez 2 unités de TEMPS. Lancez un dé : le chiffre obtenu indique l'emplacement du faisceau. Lancez un second dé : cela détermine l'endroit où vous allez. Si les deux chiffres sont identiques, vous touchez le rayon (rendez-vous au **55**). Répétez l'opération trois fois. Si vous réussissez à éviter tous les faisceaux, vous parvenez enfin devant la porte (rendez-vous au **100**).

168

Vous êtes emmené jusqu'à un appareil grom stationné à proximité, et on vous enferme dans une petite cellule sombre. Au bout d'un assez long moment, vous sentez que l'engin décolle puis, après un court trajet, vous êtes conduit dans un bâtiment assez sinistre, appelé « Bastille ». Là, aligné dans un long couloir avec d'autres criminels, vous prenez

165

Orvium donne alors l'ordre de jeter le cadavre, puis se tourne brusquement vers vous.

— Certes, tu es courageux, dit-il, mais je te soupçonne d'appartenir au Centre Galactique.

— En effet, reconnaissez-vous. Je suis ici pour récupérer le microprogramme gromulan. Galaxie 1 est prête à accepter d'en payer un bon prix.

— Ah oui ! Combien en proposes-tu ? Attention, il s'agit de la dernière version. Et elle n'est pas protégée, ajoute-t-il.

— Je ne peux pas me décider comme ça ! assurez-vous. Il faut que je le voie.

— D'accord, je te donne trente secondes.

On vous conduit alors devant un vieil ordinateur IPX. Vous vous déplacez à l'intérieur des menus et des sous-menus jusqu'à ce que vous parveniez aux informations concernant le Président. Comme il vous reste encore quelques secondes, vous avez le temps de demander l'endroit où il est détenu. Pour cela, vous avez le choix entre deux boutons : allez-vous appuyer sur le bouton A (rendez-vous au **38**) ou sur le bouton B (rendez-vous au **297**) ?

166

Vous avez effectivement choisi la bonne porte. Vous gagnez 2 points de CHANCE. Vous vous retrouvez à l'air libre, de l'autre côté d'un vieux mur. Vous avez cependant du mal à croire que les Groms vous ont laissé partir si facilement. Vous regardez de chaque côté et vous apercevez deux Excels, en cuirasse rituelle de duel, leurs épées neutroniques brandies au-dessus de la tête. Soudain, leurs lames s'abaissent en sifflant. Vous vous jetez vivement au sol, face contre terre. Lorsque vous relevez la tête, l'un des deux Excels présente un trou béant au poitrail et